P9-EAJ-452

LES OS DES FILLES

Line Papin est née à Hanoï le 30 décembre 1995. Après des études de lettres et d'histoire de l'art à Paris, elle se consacre à l'écriture. Son premier roman, *L'Éveil*, a obtenu plusieurs prix littéraires et a été traduit en plusieurs langues. *Les Os des filles* est son troisième roman.

Paru au Livre de Poche :

L'ÉVEIL

LINE PAPIN

Les Os des filles

ROMAN

STOCK

© Éditions Stock, 2019.
ISBN : 978-2-253-93447-9 – 1re publication LGF

Paix

On enterre les gens dans une tombe à leur taille pendant trois ans, au Vietnam. Puis, ce délai passé, la chair évaporée, on transvase dans un coffret plus chétif ce qu'il reste du corps : les os. Les cimetières sont donc faits de petits coffrets d'os. Ce sont eux qui demeurent, singuliers. Le premier cercueil est temporaire, public, il ne sert qu'à désosser et reçoit, tous les trois ans, différents morts. C'est un lieu de repos passager. Ensuite, dans l'unique boîte, il n'y aura plus que les os propres, comme si la chair importait peu, modifiable telle qu'elle est le long d'une vie, tantôt fraîche, tendre, lisse, tantôt ridée, malade, tavelée, tantôt douce, serrée, tantôt rêche, distendue, tantôt cisaillée tantôt… À la fin, il n'y a plus que les os qui s'entrechoquent.

Les sentiments de la chair, dégoulinants, sont passés. L'émotion terrestre est partie. Ne restent plus que les sentiments des os – essentiels. Nous finissons tous ainsi, après tout, et c'est doux. C'est doux parce que c'est commun. Il y aura eu bien des injustices, bien des secousses, bien des dangers ; il y aura eu des joies, des rires, des peurs, des amours, des haines, des ressentiments, des passions ; il y aura eu des accidents, des voyages, des crises, des maladies… Nous aurons été chacun à notre manière déformés par la vie. Il restera les os des humains – ce que nous avons été au minimum, ce que nous avons tenté d'être au maximum. Maintenant, j'ai compris jusqu'à quel point il faut descendre pour aimer sans retour et pardonner sans regard : jusqu'à cette ultime poche d'os.

Comme souvent depuis ma naissance, je suis à l'aéroport, entre deux continents, le pied droit sur l'un, le pied gauche sur l'autre. J'attends un vol et une énigme se dessine : celle d'une terre ronde que les avions contournent en laissant les gens derrière. Cette boule si compacte, ces vies si courtes, ces pays et ces mers, tout en est su, dit, et pourtant, la guerre éclate à l'intérieur. Les avions passent. J'attends, ce matin-là, assise dans un fauteuil, mon passeport à la main. Sur ce document, qu'ils ont tous autour de moi, les identités sont inscrites. Le calme est absolu, ici, les gens se tiennent, ils feuillettent un magazine, tapotent leur portable, sans se juger, contrairement aux passants des rues ou aux parleurs des cafés. Non, dans les aéroports nous sommes tous sur le départ, sur l'arrivée, entre le ciel et la terre, avec notre bout d'identité en main, susceptibles d'être recalés à tout moment, monsieur, la carte d'embarquement, passez par la machine, ça sonne, enlevez vos chaussures, c'est bon, allez-y… Et des conneries, Sky Priority, vous voyagez en business ou en économique, vous avez le passeport biométrique ? Puis les gens, les affolés, les détendus, les pressés, ceux qui s'endorment et ceux qui doublent la file… On est là, à poil – des humains, rien d'autre – sous l'autorité des avions. Enlevez la ceinture, ça sonne, attachez votre ceinture, ça décolle. On attend. Les annonces se font dans des haut-parleurs. Il est temps d'embarquer.

Où je vais ? Au Vietnam, à Hanoï, comme il y a cinq ans, dix ans, quinze ans, comme toujours, chaque fois différemment, chaque fois seule, pour tenter de réconcilier le passé et le présent, les deux continents et mes membres souffrants – pour tenter de me réconcilier. Au creux de ma poche se trouve ce médaillon en étain, vestige d'un temps dont je ne me souviens plus, témoin d'une naissance, tampon sur mon cœur, plus identitaire encore qu'un passeport, moins biométrique peut-être. Ce médaillon, avec sa forme irrégulière, mal dessinée, avec son trou percé dedans afin qu'on y glisse une cordelette, m'a été posé sur le poignet à la maternité et on y a gravé « 396 », mon numéro de naissance. Je suis le bébé numéro 396 de cet hôpital vietnamien miteux, de ce 30 décembre 1995. Et je reviens comme chaque fois, le bébé de qui ? Le bébé de personne, le bébé de tous les voyages que j'ai faits seule pour en obtenir la réponse. Aujourd'hui, je reviens, en paix, clore le chapitre de cette histoire.

« *Miss Papin ? Please, hurry up, you are the last passenger !* » L'avion va décoller. J'avais la tête ailleurs. Le steward trotte devant moi et me fait signe de monter à bord. J'accours. Voilà, nous sommes tous assis, bien ceinturés. Déjà, j'entends du vietnamien : les hôtesses de l'air, les passagers, les voix enregistrées prononcent cette langue que j'avais oubliée, une mélodie du passé, avec ses accents toniques. Un sentiment me divise : ai-je envie de l'écouter ou bien de la faire taire ? L'avion décolle. Sur les écrans, une terre ronde tourne et, autour d'elle, en pointillé, la trajectoire d'un avion blanc se dessine. Au fur et à mesure de notre avancée, les pointillés s'allongent pour contourner la planète. Ce dessin, je le vois depuis que je suis enfant. J'avais compris déjà le coup de la boule qui tourne. Mais les gens, on les laissait pour combien de temps ? Ils allaient faire quoi, en attendant ? Et nous, on partait où ? Et les cœurs, et l'amour, ils se plaçaient où sur les pointillés ?

Du bout du nez, l'avion blanc touche Hanoï. Les pointillés s'écrasent sur la ville que l'engin recouvre. Alors, j'y suis. L'avion atterrit. L'air est humide. Les taxis attendent en file devant l'aéroport : l'un d'eux m'ouvre ses portières et m'embarque sur l'autoroute vers la ville. Voilà les palmiers qui défilent devant moi, les motos qui klaxonnent, les couleurs qui brouillonnent… Hanoï ne bouge pas ; je grandis, je me torture et elle est là, ma ville, identique. Je l'aimais tant. Assise dans ce taxi, les yeux embués de larmes déjà, à entendre les klaxons des motos nous presser, je suis cette enfant qui se jette dans les bras de sa mère, qui enfouit son visage dans ses jupes pour sentir contre ses joues la crasse et l'odeur maternelles, je l'aimais mon pays, bordel, je me dis et, assises sur la banquette arrière du taxi, je vois le visage de toutes les enfants que j'ai été – celle de trois ans, celle de sept ans, celle de dix ans, celle de quinze ans –, toutes si différentes, serrées les unes contre les autres, et je les embrasse car ça va aller, les filles, vous allez voir, on revient pour cela, pour ne plus avoir mal, on va comprendre pourquoi, voyez, là où tout a commencé, dans ce pays. Soudain, abandonnant mon anglais de touriste, je me mets à parler vietnamien au chauffeur. Je sors cette langue, devenue étrangère, de ma bouche docile et je dis au mec qui s'en fout : je suis née ici, c'est mon pays aussi, le mien, j'ai mon histoire avec lui, j'y ai droit, alors oui, je suis partie longtemps, je n'ai plus la langue ni les codes ni mes amis ni ma famille, mais c'était ma mère aussi, ce pays. Le chauffeur acquiesce avec indifférence. Il me prend pour une folle.

Voilà, nous arrivons à destination. Je viens, en paix, ouvrir le chapitre de cette histoire qui a fait tant de naissances, de joies, tant de douleurs, de morts, tant de guerres – mon histoire, après tout.

Première guerre

1945

Tout commence dans un village vietnamien, situé à trente kilomètres de Hanoï. Ce village est comme ceux d'à côté, chétif, pauvre, vidé. Cependant, plutôt qu'un nid de poussière, il paraît être un berceau de verdure. La végétation y est abondante : elle lui donne moins l'air d'une zone en guerre que d'un petit coin d'Éden, couvert de bananiers, palmiers, bambous, herbes odorantes et autres plantes comestibles. Dans ce hameau, les habitants vivent heureux. Ils se nourrissent de leurs propres récoltes, qu'ils soignent avec amour. Au vert de l'herbe se mêle la couleur des fruitiers – le bisque des pamplemousses, l'orangé des mangues, l'ocre des litchis, le magenta des pitayas…

De l'aube au crépuscule, les paysans bêchent le sol, ramassent les herbes, cueillent les fruits, guident les buffles, récoltent le riz… Ils sont courbés sur cette terre dont ils dépendent. Chaque rendement est une victoire. Ils ont sous leurs pieds le travail et son gain. Le bonheur est présent car le sol est généreux, les voisins sympathiques. C'est-à-dire, ils sont tous dans la même situation, sans concurrence ni jalousie, tous pareillement soumis au ciel, au soleil, aux moussons, aux sécheresses... Ils sont les habitants d'une même terre, les fils d'une même mère, solidaires. Alors, ils vivent là, avec les plantes, les pluies, les familles, les bêtes et l'espoir.

Dans les rizières, le riz point sous une touffe de jade. Dans les rivières, de rares poissons ondulent. Il faut marcher constamment sur des branches et des flaques, se frayer un chemin, pousser les hautes herbes, faire preuve d'autorité même dans sa démarche contre le décor. Rien n'est poli ni civilisé : la végétation déborde en reine. À elle, se mêlent les insectes – fourmis, araignées, moustiques. Ces derniers volent à leur aise, grouillent autour des rares sources de lumière, des cases à buffles et du poulailler. On en trouve beaucoup autour du lac central surtout, cachés sous les fleurs de lotus car, au milieu de l'eau, une petite pagode flottante où brûle de l'encens regroupe les villageois. Les moustiques le savent bien : quand les pieux traversent le pont en costume traditionnel vers leur lieu de prière, ils viennent les y piquer.

La pagode est l'endroit où se rejoignent les habitants, lorsqu'ils ont un instant de répit, entre deux récoltes. Les parents arrivent avec leurs enfants, les grands-parents suivent ou précèdent. On y entend des rires, des conversations, des prières, le zézaiement des insectes et, à rythme irrégulier, le son retentissant d'un gong suspendu. C'est un lieu où les voisins se rencontrent, où les générations se mélangent, où les vivants parlent aux morts. C'est ici que viennent les endeuillés, pour allumer des tiges d'encens, perdre leur regard dans le lac aux lotus, serrer une main, embrasser une épaule et prononcer l'oraison du défunt, lequel repose dix mètres plus loin, dans le cimetière du village.

En effet, face à cette pagode, un cimetière chancelle sur les rizières, ses coffrets d'os suspendus entre les nuages célestes et leur reflet dans l'onde. Le soleil fait miroiter une larme de chagrin ou de joie. Des femmes au chapeau conique, courbées, se cassent en deux pour ramasser d'infimes récoltes. Les ancêtres reposent à leurs côtés. Voilà ce que l'on voit, près du cimetière : des femmes les pieds dans l'eau, les mains dans l'herbe, des buffles labourant et des tombes flottantes. L'émeraude épouse le cyan, le travail s'adosse au repos, les bêtes soutiennent les hommes, le soleil tape contre l'eau et le vent contre la terre. Une harmonie maintient l'instant en suspens.

Et derrière, des maisons sont construites, cachées, petites baraques grises faites à la main, en quinconce, en équilibre sur des lopins de terre irréguliers, des baraques qui se cassent la gueule mais sourient, se tiennent la main l'une l'autre, puisqu'elles se rattrapent parfois par un couloir de chaux, une case à buffle ou bien un petit pont peu certain qu'elles partagent. Elles se donnent la main entre les herbes et les paysans y passent, sautant d'une case à l'autre. L'agitation a lieu dans les fourrés et sur le chemin de terre devant, qui fait office de route. Des vélos y roulent le matin tôt puis le soir. Ce sont les femmes qui vont au marché, vendre leur récolte. Deux grands paniers sur le vélo, elles passent le pont pour sortir du village.

Ce pont a son importance. C'est le pont qui permet d'entrer au village et d'en sortir ; c'est le pont qu'empruntent successivement les armées japonaise, française puis américaine. Lorsque l'armée japonaise – sur le territoire vietnamien depuis le début de la Seconde Guerre mondiale – craint, en mars 1945, un débarquement allié, elle s'en prend à l'Indochine française dont elle détruit l'administration coloniale. Cela se traduit, sur le territoire même, par une guerre entre Français, Japonais et Vietnamiens, mais aussi par une famine due aux plants de riz que les Japonais déciment. Cela se traduit, dans ce village même, par des balles qui fusent et des gens qui ont faim. Cela se traduit, sur ce pont même, par trois soldats français qui le traversent et se retrouvent ensanglantés.

Ils se sont fait fusiller, ils titubent, la jambe blessée. Le sang coule sur les rampes du pont, sur le col de leur uniforme. Les trois Français se traînent dans ce village perdu, jusqu'au lac, à la pagode centrale. Ils sont mourants. Les paysans accourent, affolés, inquiets. Doivent-ils les aider ? Qui sont-ils, ces Blancs ? L'un d'entre eux les pousse tous, pardon, laissez passer, il passe. Il est plus grand que tous les autres, un mètre quatre-vingts peut-être, il est fier, la tête haute. C'est le chef du village. Il se penche sur les blessés, juge du bout de l'œil la gravité de leurs blessures et, sans plus attendre, fait signe qu'on les amène chez lui, dans sa case. Alors, les trois soldats sont transportés chez le chef du village. Là, ils sont pansés, on applique des serviettes d'eau salée sur leurs plaies. On les recoud peut-être, avec les moyens du bord.

1946

Dans cette case, habitaient le chef du village, ses deux femmes et ses six enfants. Les deux femmes s'entendaient bien, elles cohabitaient facilement car l'une s'occupait des six enfants, tandis que l'autre allait au marché, vendre les fruits et légumes du jardin. L'une s'adonnait au ménage, à la vaisselle, l'autre aux récoltes et aux soldes. Cet équilibre était parfait jusqu'à ce qu'un jour de l'an 1946 la France entre en guerre contre le Vietnam. La révolution avait eu lieu, Hô Chi Minh était président, et si les Japonais n'envahissaient plus le pays, c'était le tour des Français. La première guerre d'Indochine était proclamée – elle allait durer huit ans, et pendant huit ans les balles fuseraient. Ainsi, un matin de l'an 1946, alors que la seconde femme allait au marché, sur son vélo, avec ses marchandises, alors qu'elle avait pédalé sur ce fameux pont jusqu'à le traverser, elle se retrouva coincée dans une fusillade. Son vélo lourd de mangues, de bananes, d'herbes, de poules et d'œufs, l'empêcha de bien se mouvoir. Elle voulut reculer, il y avait des gens derrière, elle n'eut pas le temps, il y avait des soldats devant… Une balle partie de travers lui ôta la vie. Elle ne revint pas du marché, ce matin-là. Elle ne revint jamais. La première femme resta seule à s'occuper des récoltes, faire le ménage, la cuisine, le marché et à élever les six enfants.

1961

Parmi les enfants du chef, l'un s'appelait Trang. Il avait grandi au village, dans la case de son père. À vingt ans, il décida de devenir professeur de littérature et d'histoire pour l'école du village. Il y enseigna les auteurs et les dates, les mots et les faits. Sur les bancs, on comptait peu de têtes mais elles étaient appliquées, penchées sur leur cahier. Ce statut de professeur permit à Trang de ne pas s'enrôler dans l'armée lors de la guerre suivante : lorsque le sud du Vietnam, aidé par les États-Unis, se souleva contre Hô Chi Minh, la seconde guerre d'Indochine se profila. C'était en 1961, Trang avait vingt-trois ans. Tandis que son frère partait dans l'armée, ainsi que beaucoup d'autres jeunes du village, très engagés, Trang resta face aux bancs de l'école. Il enseigna – son refuge face aux balles était une toiture à deux pans, l'une était la littérature, l'autre l'histoire.

Sur les bancs de cette école, une élève en particulier revenait chaque jour. Elle était assidue. Passionnée d'histoire, et notamment de Napoléon dont elle entendait conter les exploits par le jeune professeur, elle notait tout avec minutie sur son cahier.

Ses pattes de mouche s'écrasaient, noir sur blanc, et le mot « Na Bô Lê Ông » apparaissait à toutes les lignes. Napoléon, elle l'adorait, elle revenait à l'école écouter la suite de ses aventures. Les leçons de littérature, elle les aimait aussi, elle voulait apprendre à lire, connaître les auteurs. Cette élève avait seize ans, elle était d'une beauté rare. Mais qui est-elle, cette jeune fille que nous surnommerons *Ba* ?

Ba est née dans ce même village, sous ce même pont. Son père avait deux épouses, tel qu'il était de coutume à l'époque, au Vietnam. Or, cet homme, son père, était violent et battait ses deux femmes, qui elles-mêmes se disputaient. La cohabitation ne se passait pas aussi bien que chez le chef du village, à quelques mètres de là. Non, ici, les coups étaient si brutaux et les mots si cinglants que l'une des deux épouses décida de fuir et d'habiter dans sa propre cabane. Elle prit son courage, ses bleus, sa fierté, ses enfants, ses affaires et partit s'installer ailleurs – mais le village était petit, elle ne pouvait pas s'échapper bien loin. Peu importe, Vu Thi Gao trouva un lopin de terre et s'érigea une maisonnette, résistante. Là, dans cette cabane en terre, elle décida de vivre à la force de ses bras et d'élever ses deux filles. C'était une femme battue, une femme seule, une femme forte et c'était la mère de *Ba*. Cette dernière, petite, ne voyait plus son père ni son demi-frère. Elle éprouva envers eux un ressentiment naturel, d'enfant blessée. Finalement, elles étaient livrées à elles-mêmes.

Ba aidait sa mère aux rizières et au jardin, comme les autres filles du village. Elle passait ses journées les pieds dans l'eau boueuse, le dos courbé, les mains égratignées. C'était une jolie fillette, avec des cheveux noirs, épais, des joues roses, des lèvres rouges et, surtout, une grande douceur mêlée à une étincelle d'intelligence. Cet air vif et tendre, qui appelait déjà la droiture, se teintera ensuite d'une détermination jamais démentie, qui pourra avoir l'aspect, quelquefois, d'une colère.

Mais, en 1961, *Ba* avait seize ans, elle n'avait pas de colère, seulement de la curiosité. L'envie lui prit de savoir lire, d'apprendre à l'école des choses qu'on ne lui disait pas aux rizières. Elle s'inscrivit à la classe du village et se passionna pour les leçons données par Trang. Quelques années plus tard, vous l'avez deviné, ils s'épousèrent. Puis, ils eurent une fille, et une seconde, et une troisième.

En 1968, la première guerre d'Indochine était bien terminée mais la seconde éclatait. Les bombes américaines tombaient sur le village. Trang décida de poursuivre son métier en postulant à une université de Hanoï. Il y fut reçu et déménagea dans la capitale. Plusieurs fois par mois, il revenait voir sa femme et ses trois filles. Il prenait le vélo depuis Hanoï et pédalait quatre heures durant, jusqu'au village. Le reste du temps, les quatre filles vivaient ensemble.

Seconde guerre

Sœurs

Elles sont trois sœurs dont les prénoms commencent tous les trois par un H. On pourrait les surnommer les Hélène, les Trois Grâces. Elles ont chacune leur charme, chacune leur caractère, chacune leur arme. La première est tempétueuse, les cheveux bouclés, rebelle, l'air déterminé. Elle n'a pas peur. La seconde est réservée derrière son soyeux rideau de cheveux raides, appliquée et à l'affût. Elle observe. La troisième est douce, délicate, frisottante, nonchalante. Elle se délecte. Toutes les trois naissent sous les bombes : au-dessus de leur village, les avions de l'armée américaine larguent leurs explosifs. Nous sommes près de Hanoï, au Vietnam, c'est la deuxième guerre d'Indochine. Elles sont belles, les trois sœurs, elles sont maigres, elles vivent dans un pays qui croule sous sept millions de tonnes de bombes et elles sont fortes. C'est-à-dire, elles sont nées comme ça, ici, et elles n'ont pas le choix. Ce sont les filles de *Ba*.

Leur enfance ressemble à celle des autres petits : il y a des rires, des camarades, des courses et des cache-cache. Leur enfance ne ressemble à rien d'autre : il y a des tickets de rationnement, des repas sautés, des pieds dans la boue, des éclats de foudre et des blessés. C'est ainsi, de 1968 à 1975, la guerre du Vietnam fait du bruit, la contestation monte aux États-Unis, le général Giap laisse sa place à Van Tien Dung, les raids de décembre tuent deux mille civils et c'est leur vie. Elles habitent ce village avec leur mère, dans la cabane en terre battue de leur grand-mère. Les différentes générations vivent ensemble sous le même toit. *Ba* s'occupe de sa mère et de ses trois filles. Elles n'ont pas un sou, elles ont un cochon de compagnie auquel elles tiennent mais que l'on finira par bouffer sous leurs yeux, parce qu'on a trop faim. Les gamines n'ont pas de jouets, leurs seuls biens sont les sachets de bonbons qu'elles collectionnent. Elles se les arrachent, se les échangent avec les autres enfants du village : un bleu contre un rouge, un vert contre un jaune... Si elles ont de la chance, elles ramassent un sachet tombé de la poche d'un Russe – un sachet couleur argent. Celui-là, elles peuvent le troquer contre dix papiers de bonbons vietnamiens. Voilà leur monnaie et leur unique jouet : des papiers froissés.

Le pont, que les trois soldats français avaient traversé ensanglantés, se trouve désormais – et par hasard – être le seul pont vietnamien emprunté par l'armée pour transférer les garnisons du Nord vers le Sud. Dès lors, il est devenu très prisé dans le pays. Toute la journée, des camions et des chars font trembler la passerelle ; c'est par là que le ravitaillement descend jusqu'à Saïgon. Les forces américaines le savent bien : si elles font sauter ce pont, le Sud est en exil et les soldats de Hô Chi Minh sont affaiblis. Régulièrement, des bombes sont donc lâchées dessus. Des avions, elles éclatent sur les chars et les camions. Elles font un vacarme assourdissant et l'on ignore combien il y en aura, combien de temps ça durera. Chaque fois que le pont est détruit, les paysans se précipitent pour le remettre sur pied, mais, chaque fois, une nouvelle bombe retombe, et ils se précipitent encore, en un geste désespéré, humain, un geste presque élégant. Ils refont leur petit pont, ils ne le laissent pas tomber. Aujourd'hui, il est sur pied, avec des renforts rocambolesques d'architecture : pour soutenir la passerelle, des treillis en béton sont apposés tous les deux mètres. On dirait une vieille dame écroulée, puis réparée, dont les os souffrent d'un cancer qui la casse sans fin. C'est une petite passerelle les pieds dans le plâtre, avec bien des béquilles au bras.

Contre les bombardements, la grand-mère, Vu Thi Gao, a aménagé une planque derrière la maison. C'est une bicoque censée protéger les filles des explosions. Leur père absent, à Hanoï, leurs mère et grand-mère aux rizières toute la journée, les trois sœurs, qui n'ont même pas six ans, sont livrées à elles-mêmes. Elles sont dans la cabane en terre battue, tels des petits chiots et, quand une bombe fracasse le ciel, elles courent se réfugier, comme on le leur a indiqué, dans la bicoque. Recroquevillées dans l'ombre, elles se serrent les unes contre les autres et attendent. Combien de temps ? Elles ne savent pas. Peut-on ressortir ? Elles ne savent pas. Est-ce la mort ? Elles ne savent pas. C'est ainsi, on dirait un conte, c'est leur enfance, c'est le Vietnam dans les années 70.

J'ai retrouvé deux photographies en noir et blanc. La première montre les sœurs H. avec leur mère, assises sur le rebord d'une baraque trouée par une fenêtre à barreaux. *Ba* tient sur ses genoux la plus petite H. et les deux autres sont collées à sa droite et à sa gauche. Quatre petites femmes sur cette photographie font huit jambes et huit bras maigres, comme les membres d'une seule famille et leur seule possession. Elles n'ont rien, cela se voit non seulement à l'arrière-plan délabré – cette cabane au mur gratté –, à leurs vêtements et leurs pieds nus, mais aussi au regard inquiet de la seconde enfant H. Que va-t-on devenir ? paraît-elle demander. Comment va-t-on s'en sortir ? L'autre photographie est plus gaie : *Ba* porte la troisième H., elles rient aux éclats, debout dans un tas de paille ou de bois, et derrière elles se dresse un mur de bambous.

Voilà les deux seules photographies qui restent de l'époque. Quant aux souvenirs, elles en racontent assez peu. Elles rapportent, par exemple, les disputes de la mère avec l'aînée impétueuse, lorsque cette dernière, adolescente, voulait rejoindre ses amis, le soir, et demandait quelques dongs. La mère refusait de lâcher une pièce, s'agaçait de la frivolité de sa fille, redoutait qu'elle ne tombe enceinte lors d'une de ses sorties nocturnes. Au village, c'était foutu après, une fille mère, personne n'en voudrait. Le proverbe traînait : les filles sont des bombes à retardement, un jour, sans crier gare, elles vous lâchent un môme dans la cabane, et c'est une bouche de plus à nourrir, une impossibilité… La mère refusait, la première sœur H. gueulait d'autant plus fort. Les deux autres pouffaient. La grande, une fois tout le monde couché, se relevait dans le noir, s'habillait à tâtons, et les deux petites voyaient son ombre se découper contre la cloison. Elle faisait le mur, volait des sous dans la boîte secrète de sa mère, partait avec des vêtements en vrac, choisis au hasard dans l'obscurité, elle s'enfuyait, sur la pointe des pieds. Peut-être que la mère avait peur, à cause de la guerre, peut-être qu'elle n'osait pas dire sa crainte, à cause de la guerre, peut-être qu'elle avait elle aussi beaucoup de colère, à cause de la guerre. Les filles ne le savaient pas. Elles entendaient simplement ses refus : non pour l'argent, jamais elle n'en donnait, jamais elle n'en avait ; non pour les sorties avec leurs amis, jamais elle ne voulait ; non pour garder le cochon et non pour garder les cheveux longs et non pour chaque menu plaisir. Les trois sœurs étaient soudées contre cette mère, soudées aussi contre cette guerre. C'était d'une maigreur épouvantable, le quotidien, il n'y avait que des os à bouffer, que des os pour porter les sacs, que des os à serrer dans ses bras, que des os pour rêver, que des os sous les obus, que des os sur les photos.

Ba ne se contentait pas de s'occuper des filles et de travailler aux rizières, elle s'était également portée volontaire à l'école du village. Elle souhaitait devenir professeur, comme Trang l'était. Ainsi, le soir, à son heure libre, elle donnait des cours de littérature elle aussi. À quelques enfants, elle apprenait des poèmes, lisait des romans, citait des auteurs. Elle souhaitait devenir professeur pour être mutée à Hanoï, avec son époux. Ce dernier revenait dès qu'il le pouvait, en quatre heures de vélo, mais elle le voyait peu souvent. Il demandait aux gens de la profession s'ils n'avaient pas une place pour sa femme, dans une école primaire de la ville. Pour l'instant, il n'avait pas eu de réponse. Dans la capitale, Trang était pris par ses cours, ses leçons, et cette guerre qui frappait. Un soir, alors que les professeurs et élèves de l'université repartaient chez eux, une annonce au micro retentit : l'hôpital appelait l'université et demandait à ce que trente de ses hommes les plus grands et musclés lui viennent en aide. On avait besoin d'eux d'urgence pour rapatrier les corps des blessés. Une bombe avait explosé dans Hanoï. Trang fut obligé de rester. Les autres rentraient chez eux et Trang était parmi les trente, à aller chercher les blessés, les transporter, corps contre corps, sur lui, eux qui saignaient, qui souffraient, les mettre dans les voitures, jusqu'à l'hôpital ou à la morgue.

Puis, un jour, alors qu'il se rendait en cours, on le prit par le bras. On lui annonçait une bonne nouvelle. Il y avait une place pour *Ba*, à Hanoï. Trang revint au village, pédalant plus vite que jamais, afin de le dire à sa femme. Arrivé à la baraque, il trouva quatre visages défaits : une mauvaise nouvelle était tombée en même temps. Vu Thi Gao avait rendu l'âme.

La grand-mère décédée, les deux parents n'eurent aucune raison de rester dans le village, dans la cabane. Ils s'envolèrent pour Hanoï avec leurs trois filles. Ils dirent au revoir à la verdure, aux sentiers de terre et de branches, à la pagode et aux rizières. La capitale leur ouvrait les bras, ville tentaculaire, vrombissante. Ce fut la fin de cette période au village, ça allait bientôt être la fin de la guerre.

Je pense aux os, je pense aux bleus, je pense aux bombes, je pense aux grains de riz, je pense à toutes ces filles, cinq, sous ce toit de misère, je pense aux rires, je pense aux paroles, je pense aux ongles, aux dents, aux yeux, aux bras, aux cœurs, je pense aux cheveux noirs.

Jeunes femmes

La guerre passée, Hanoï demeurait noire de misère parce qu'elle essuyait les restes des bombes et des récoltes brûlées, parce qu'elle subissait l'embargo américain qui interdisait à tout pays de faire du commerce avec elle. Il n'y avait rien, au Vietnam : pas d'électricité, pas d'eau potable, ni de savon, de dentifrice, de chaussures pour les gens, pas de frigidaires, pas d'ustensiles de cuisine, rien. Ils vivaient dans le dénuement et la crasse. Ils ne s'en rendaient pas compte : ils n'avaient rien pour comparer. Ça avait toujours été ainsi. Les journaux les encourageaient : ils étaient les meilleurs, tout prospérait, le pays perçait, leur progrès effrayait. C'était fabuleux ! C'était la gloire ! S'il n'y avait pas de mobylettes ni de voitures, si les gens crevaient littéralement la dalle, c'était normal. C'était partout pareil : des photographies montraient les gens qui faisaient la queue en France, devant un immeuble. « Regardez, avec leurs tickets en main, ils ont encore plus faim que nous ! » Ce qu'ils ne disaient pas, c'est que la photographie coupait tout juste l'immeuble et que ces personnes, à Paris, ne patientaient pas en foule devant une boulangerie mais devant un cinéma. Le même système de découpage était fait pour tous les pays du monde. On poireautait devant une salle de concert ou un théâtre, mais les journaux vietnamiens insistaient : c'était la famine partout, les gens guettaient leur grain de riz aussi. Alors, ça rassurait. Sans savoir qu'ils attendaient pour s'amuser, on se disait, ils attendent pour manger.

Ba et Trang se sont installés dans un petit appartement au troisième étage d'un immeuble basique. Les filles se partageaient un même lit, il n'y avait pas assez de chambres pour tout le monde. Les fenêtres à barreaux donnaient sur une artère bruyante, comme il y en a tant à Hanoï, saturée de chaleur et de cris. De la rue montaient les clameurs des marchands ambulants qui s'époumonent pour vendre trois mangues, le vagissement des enfants, le chant des travailleurs, le jappement des chiens, le gloussement des poules, la huée en somme d'une foule qui se cravache pour subsister et qui subsiste sur les trottoirs. Montaient aussi la moiteur odorante, les senteurs d'herbes brûlées, la sueur de Hanoï, ville cramée. *Ba* fermait les fenêtres pour empêcher ses filles de tousser.

Les sœurs n'ont pas eu d'adolescence. Elles n'ont connu que le travail à l'école puis le travail à la maison. Dans cet appartement de béton, qui succédait à la cabane en terre battue, elles faisaient la cuisine, le ménage, déroulaient des pelotes pour en faire de la laine qu'elles revendaient à l'usine. Il fallait gagner un peu d'argent pour aider leurs parents. Elles allaient chercher l'eau au puits, se lavaient sans savon, brossaient leurs cheveux noirs avec du jus de pamplemousse, leurs dents avec du sel… Elles n'avaient pas de beaux vêtements ni de chaussures à semelles. Elles étaient sales et maigres, mais elles étaient belles. Elles avaient grandi, maintenant.

Elles s'étaient habituées à la capitale et l'aimaient, comme tout le monde, comme toute cette foule s'égosillant pour exister. Elles aussi partaient, le matin, à pied ou à vélo, pour l'école ou pour l'usine. Elles se serraient les coudes, avec les autres. C'était ainsi, Hanoï dans les années 80. La ville se remettait des désastres de la guerre ; son peuple criait à la victoire et à la douleur. Les rues étaient noires de misère, de bruit et de monde. Ils s'aimaient, là-dedans, parce qu'ils étaient pauvres mais ils avaient gagné. Les rares effluves de nourriture se mêlaient au charbon, aux étincelles des constructions.

Les filles étudiaient avec sérieux à l'école, Trang et *Ba* leur avaient transmis le goût des lettres et de l'histoire. Quand la seconde H. obtint de partir en échange scolaire, elle fut envoyée en Russie. Les pays communistes s'étaient ligués pour ne faire des échanges qu'entre eux : on pouvait partir en Pologne, en Russie, en Allemagne de l'Est, rien d'autre. Elle irait donc à Moscou mais, avant de prendre l'avion, on lui recommanda de trouver des chaussures appropriées. Les tongs, que tout le monde portait, feraient mauvaise figure à l'aéroport russe. Elle alla donc au marché afin d'acheter, avec toutes ses économies, une paire de sandales à semelles. Elle n'en trouva aucune.

Elle dut y retourner trois jours d'affilée pour tomber enfin sur un stand qui acceptât de lui en vendre. Ces sandales aux pieds, elle arriva sur les trottoirs enneigés de Moscou.

Quand cette seconde H. revint au pays, après avoir passé une année en Russie, elle rapporta des bonbons russes dont les papiers valaient une fortune d'enfance, des bottes de neige comme on n'en avait jamais vu à Hanoï et qui auraient pu finir au musée de la ville, ainsi que des casseroles en fonte. Les casseroles russes pesaient dix fois plus lourd que les rares casseroles vietnamiennes, appartenant aux familles aisées seulement, et assez minables quoi qu'on en dise. Les casseroles de Hanoï étaient si fines qu'elles flambaient parfois avec les légumes que l'on avait placés dessus. Revenant avec ses ustensiles russes, la jeune femme alla les vendre au marché. On les lui acheta un bon prix et on alla les fondre, afin de former dix casseroles vietnamiennes à partir d'une seule casserole russe. Un petit troc se faisait ainsi, une petite monnaie.

Voyez, comme c'était pauvre ! Dans ce Vietnam sous embargo, elles devinrent des femmes, ensemble, toujours sous le même toit car c'est ainsi que l'on vit là-bas, avec sa famille entière. Elles n'étaient pas malheureuses. Elles étaient unies, bosseuses, rieuses, osseuses. Elles allaient avoir vingt ans, rencontrer des hommes, avoir des enfants… Le conte se terminerait joliment car tout est bien qui finit bien. Elles seraient heureuses et auraient beaucoup d'enfants, oui. Elles ne se quitteraient pas : on pourrait les reconnaître encore de dos, côte à côte, trois belles grandes filles, avec cette chevelure noir de jais qui leur coulait sur le dos, et des enfants soudain sur les bras, trois mères.

Voilà ce qui arriva : des trois sœurs H., la première épousa un homme dont elle eut deux fils. Un architecte demanda la main de la dernière. La seconde, celle du milieu, rencontra un Français dans une boutique d'appareils photo, alors qu'elle venait chercher son amie qui y travaillait. Ce jeune touriste, épris de ce feu territoire ennemi, avait saisi un bon nombre de clichés du pays qu'il voulait développer. Il est entré dans le magasin quand la seconde sœur H. en sortait. On appelle cela un coup de foudre. Il la courtisa aussitôt et elle fut charmée, malgré les secousses de tête et signes de bras que son amie gesticulait derrière. « C'est un Français ! C'est un beau parleur ! Il est dangereux ! » La seconde sœur, comme nous le savons, était observatrice. Elle n'avait pas la fougue de son aînée, ni la tranquillité de sa cadette. Elle avait la curiosité. C'est pourquoi elle ne leva pas les bras pour rejeter le Français, ni ne les baissa pour le laisser partir. Elle était la sœur du milieu, celle qui a les bras tendus devant : elle continua donc à le fréquenter. Ils furent d'intelligence. Leur relation devint essentielle. Ils bravèrent les réticences des amis, des sœurs et des parents pour se voir. En effet, ces derniers s'opposaient fortement à ce que la plus raisonnable de leurs filles épouse l'ennemi. C'était absurde, c'était terroriste, son amourette, c'était un acte politique contre le pays, s'en rendait-elle compte ? L'un était le drapeau tricolore, l'autre l'étoile jaune sur fond rouge, la guerre griffait encore les deux toiles comme une cicatrice. Les tourtereaux s'en moquèrent bien. Ils parlaient anglais ensemble, en attendant que les cours de vietnamien suivis par le Français portent leurs fruits. Ils se regardaient dans le blanc des yeux, très amoureux, lui à travers les lunettes qu'il portait sur le bout de son grand nez blanc, elle sous la frange de cheveux noirs qui tombait jusqu'à son petit nez jaune. C'était leur premier amour.

Elle l'invita à la maison, où vivaient les deux autres sœurs, leurs maris, et les parents désapprobateurs. Le Français dînait avec la famille, dans la pièce centrale où était jetée une nappe à même le sol, sur laquelle ils posaient les plats. Tous s'asseyaient par terre, en cercle, et mangeaient en piochant avec les baguettes dans les plats du milieu, les enfants courant autour de la ronde, s'appuyant sur le dos de quelque adulte… Au début, la présence du Français plongeait le cercle dans une brume de circonspection silencieuse. *Ba*, surtout, qui ne comprenait pas la décision de sa fille, était contrariée. Elle, qui avait vécu la première guerre contre les Français, ne comprenait pas pourquoi son enfant se tournait vers le camp ennemi et faisait le choix d'une vie autre, non pas vietnamienne, classique, dans la lignée du combat des femmes et des soldats, de leurs valeurs et de leurs traditions. Pourquoi un étranger, pire, un Français, pourquoi s'échapper dans une autre grammaire, d'autres coutumes, d'autres pays ? Mais peu à peu, parce que le jeune Français se révélait plutôt sympathique, parce qu'il s'intéressait lui aussi à l'histoire et à la littérature, parce que enfin il avait fait des progrès considérables dans la langue vietnamienne, la famille des trois sœurs parvint à l'apprécier, à s'égayer en sa présence, et même à l'accepter comme l'un des leurs. Il venait alors régulièrement à la maison, sur sa Minsk, une moto soviétique vieille de trente ans, qui démarrait mal, fonctionnait de manière aléatoire, plantait tous les deux mètres et crachait autant de fumée qu'un camion. Il ramenait souvent du chocolat ou quelques gourmandises occidentales qu'il avait réussi à se procurer grâce aux containers diplomatiques. Une fois tous les trois mois, l'ambassade française se faisait délivrer des produits étrangers, et le jeune homme dressait une liste de choses dont il avait besoin, et qu'on lui remettait à la sortie du coffre des camions. Il empochait cela et le partageait avec la famille des trois sœurs H. qui finit donc par lui accorder une certaine confiance. À ce jeune homme qui avait fait des études d'histoire, qui était même agrégé, *Ba* demandait quelques précisions sur les aventures de Napoléon, quelques rectifications. Elle notait, comparait. Le Français se prenait d'affection pour cette famille et pour ses coutumes.

Cependant, lorsque, après un an d'idylle, il proposa à la seconde H. de venir rencontrer ses propres parents en France, la famille vietnamienne fut prise à nouveau d'une grande crainte. S'il l'enlevait ? S'il la tuait ? S'il la revendait, là-bas ? L'histoire d'amour d'un Français et d'une Vietnamienne, au lendemain des guerres d'Indochine, c'était encore un conte. Que faire ? La seule solution était de l'épouser. C'est ce que la famille des trois sœurs répondit au Français. Il était jeune, il était déterminé, il l'épousa. Un an après leur rencontre eut donc lieu leur mariage, selon les traditions vietnamiennes, avec l'*ao dai* et le visage de la mariée peinturluré de blanc au point que son futur époux ne la reconnut même pas quand elle vint le rejoindre. C'était ainsi ; c'était la fin de la guerre, de l'enfance, de l'adolescence qu'elles n'avaient pas eue ; c'étaient les trois sœurs devenues trois femmes, trois épouses, trois mères, sous le même toit avec trois maris et leur propre mère, cette vétérane qui avait l'œil sur tout.

Ba avait désormais quarante-cinq ans, elle avait marié ses trois filles, était devenue professeur dans une école de la capitale, son époux tenait chaque semaine des conférences… Ses combats avaient porté leurs fruits. Cette femme mûre avait tenu le cap de ses espérances. Elle était arrivée au terme de son odyssée.

Mères

Leur ventre s'est arrondi en même temps, pour former sur leur corps maigre de n'avoir été nourri que de grains de riz rationnés une bossette maternelle. Les deux aînées H. étaient côte à côte, avec leurs cheveux noirs et leur ventre gonflé. Elles n'avaient pas vingt-cinq ans, elles devenaient mamans. Dans cet appartement de béton, face à la fenêtre, elles regardaient l'artère où se ruait la même foule colorée, avide de vivre. Elles portaient un enfant dans leur ventre, qui ne connaîtrait pas les rizières mais les klaxons, pas les tickets de rationnement mais les odeurs de *bo bun*. Dans le salon, *Ba* tricotait deux petites laines. Elle allait devenir grand-mère. Ils auraient échappé à tout. La vie allait continuer.

Elle continua au masculin : les deux sœurs accouchèrent chacune d'un garçon, mais chacune à un bout du monde : la première restait au Vietnam tandis que le petit garçon, moitié vietnamien moitié français, moitié jaune sur rouge moitié bleu blanc rouge, de la seconde sœur voyait le jour en France. Les hôpitaux du Vietnam étant si sales à l'époque, le futur père tint à rapatrier sa jeune épouse dans une clinique française. Ils prirent l'avion à temps, séjournèrent en France quelques semaines. C'était la première fois que la seconde sœur H. dormait sur un matelas mou, elle en eut le mal de mer, vomit, puis ce fut la première fois qu'elle mangeait une pizza, elle en eut le mal de cœur, vomit, puis il y avait la grossesse et ses nausées... Finalement, elle passa son séjour à vomir mais adora la France. Ils virent leur garçon naître, et retournèrent au Vietnam, à cette famille groupée dans son appartement de Hanoï.

Par chance, nous étions alors en 1994 et l'embargo venait d'être levé. Soudain, un flot de produits étrangers inonda le pays. À Hanoï, on trouva du Coca-Cola, du dentifrice, du savon, du shampooing, du chocolat, des médicaments, du lait, des couches. Cela évita au jeune père français de ramener des tonnes de couches par avion. Heureusement, tout arriva très vite au Vietnam. Les commerçants s'étaient préparés pour cet afflux de choses. Dans la rue, traversée de vélos et de cyclos jusque-là, on pouvait voir maintenant quelques moteurs : des scooters Honda, Toyota... L'électricité arrivait dans la ville : on tirait des centaines de câbles noirs sur les routes, accrochés à des poteaux de bois qui manquaient toujours de s'enflammer. Cela faisait un ciel de fils, un ciel électrique, grésillant, menaçant, mais on allumait enfin quelques frigidaires et quelques climatiseurs. C'était bancal, hasardeux, dangereux, mais c'était nouveau. Les enfants des sœurs débarquèrent donc en même temps que les produits étrangers. La troisième génération, qui commence en 1994, fut celle des enfants de l'entre-deux-siècles, des enfants qui connurent le dentifrice et le savon, des enfants d'après l'embargo, de ceux qui ont profité de tout, fous de joie.

Quelques mois passèrent, avec ce nouveau bébé métis, ces dîners en cercle, par terre, ces enfants, ces mères, cette grand-mère, ces maris, ce grand-père, ces effluves, ces voix, ces motocyclettes, ce Vietnam au lendemain de la guerre qui retrouvait, après avoir été si défiguré, son visage de ville. Quelques mois passèrent avant que ne survienne l'accident.

Filles

L'accident, c'est une seconde poche d'eaux. Quand on ne l'a pas mesuré, que l'on forme soudain soi-même un être qui traversera la vie, l'accident, c'est endosser de bout en bout, sans jamais pouvoir s'en décharger, sa petite poche d'os – de la première à la dernière.

Nous n'avons pas fait exprès, je n'y ai pas pensé, je ne peux plus reculer, c'est parti, c'est la vie : quelques mois plus tard, le ventre de la seconde sœur, jeune mère, s'arrondit de nouveau. La même bossette déforme son corps à peine reformé : elle porte une vie à laquelle elle n'avait pas songé. Elles n'ont pas vingt-cinq ans et elles sont déjà nombreuses dans cet appartement. Les hôpitaux de Hanoï ne sont que des lieux, des immeubles, des endroits où l'on accouche, non des cliniques. Les médecins ont une blouse mais peu d'instruments. Les infirmières ont pour comptoir une planche de bois sale, sur laquelle les futures mères sont priées de déposer leur bocal d'urine. Accroupies en dessous, les soignantes découpent des têtes de cochons ensanglantées pour la fête du Têt qui approche. « Oui, posez ça là ! » disent-elles, une main indicatrice tapotant la planche au-dessus, une main assassine égorgeant le porc en bas. Les femmes enceintes posent, sur le bois, leur pot de pisse, tous différents : les unes ont uriné dans une bouteille Évian, un godet en plastique, un verre de porcelaine, les autres dans une casserole, un arrosoir ou même un seau. Puis elles repartent, empruntant le couloir dégueulasse de l'hôpital, elles gagnent la rue. Il faudra revenir la semaine prochaine, voir les résultats des tests, s'ils n'ont pas été perdus ou confondus.

La seconde H. a déposé sa bouteille, elle aussi. Voilà, elle aurait pu appeler une faiseuse d'anges. Elle a préféré parier. Et, tandis que son échantillon d'urine rejoignait les autres, bouteille translucide parmi les bouteilles translucides, une giclure de sang, crachant sur son vêtement pâle une flaque écarlate, dans un craquement d'os, jaillit de sous la table. Le cochon était mort.

On ne naît ni par hasard ni nulle part. On naît neuf, entouré d'anciens os. Dans le cœur et dans le ventre, il y a les os de la guerre, de la grand-mère, des os de vétérane, il y a les os laissés par les bombes, les os d'une vitesse, de trois filles, les os des non qu'elle leur a dits, il y a les os de Hanoï, les os du premier fils, les os de ses pensées. Il y a ces os qu'on n'avait pas désirés et qui vont, quoi qu'il en soit, se former. Il y a ces os qu'on ne connaît pas, qu'on porte sans savoir, qui vont tout déchirer. Il y a une vie. Il y a le 30 décembre 1995, à la fin de l'année, dans un hôpital crasseux de cette ville à peine reconstruite qu'est Hanoï, une petite fille qui naît. Elle est là sans qu'on ait rien contrôlé, elle arrive, ravie, petit obus dans ce monde de filles. Elle n'a pas pris l'avion pour naître dans une clinique française parce que c'était écrit ainsi : elle devait naître, par surprise, dans la misère et la beauté de son pays.

Derrière la grand-mère, derrière les trois sœurs, derrière les contes de guerre et d'amour, te voilà : tu nais, toi, dans un hôpital miteux, où des rats gros comme des nourrissons traversent les couloirs la nuit, ombres noires et menaçantes sous les berceaux, prêts à dévorer les bébés qui y dorment. Pendant que les mères se reposent, les pères veillent, tour à tour, pour attaquer au balai les rongeurs affamés, et défendre ainsi leurs nouveau-nés que les infirmières n'ont d'ailleurs ni habillés ni nettoyés. Tu es dans ton landau, au-dessus de tes rats, enveloppée dans une serviette encore tout ensanglantée. Ton père combat au balai, ta mère dort, et quand ton frère, qui n'a qu'un an, vient à l'hôpital pour voir sa petite sœur, sa première exclamation, à la vue du bébé sur lequel, durant la nuit, le placenta et le sang ont séché, est : « *Nhà quê !* », une insulte qui signifie « Quel péquenaud ! ».

Tu nais péquenaud, oui, dans le sang séché, au-dessus des rats, couverte de placenta, et tu restes comme ça, des heures, une nuit. Nous sommes le 30 décembre 1995, puis le 31. Demain, c'est 1996. Nous sommes à Hanoï, nouvellement traversée de motocyclettes, de fils électriques, de cris, de bruit. C'est la fin de l'année, le début, c'est la fin d'une époque, le début. Hanoï, 1996 : il y a les voix vietnamiennes, ta mère, ton père, seule voix française, ils communiquent en anglais aussi, il y a les visages, tellement de visages, ta grand-mère, ta nourrice, tes tantes. Autour de toi, c'est noir de visages et de vociférations : c'est la vie telle qu'on l'aime – telle que tu l'aimes. Et au-dessus de ce capharnaüm, le soleil explose, humide et lourd comme il l'est au Vietnam ; personne n'y échappe. Des odeurs, c'est direct, c'est foutu, on en a plein le nez : viande grillée, *bun cha*, herbes, charbon, gaz. Tu nais là-dedans, bébé sale, bébé de sang, jamais lavée, et à quoi bon, avec ces cris et ces senteurs qui enrobent autant que ces draps troués. C'est mieux que tout, d'être dans cette crasse, parce qu'il y a l'amour dans ces draps, dans ces exclamations, dans ces parfums, l'amour d'une ville qui vit enfin sa vie, sans complexe, et d'une ville qui aime ses filles, sans complexe.

La petite fille a déboulé dans cette vie, Hanoï 1996, avec une joie immense. C'étaient les vacances, ce village, des gosses partout, des vélos, des cyclos, des échanges constants, c'était sa vie. On gambadait là-dedans, à l'air libre, et quel air, lourd sur la peau, comme pour dire je ne t'oublie pas, tu n'es pas seule, je suis là, toujours, la vie, Hanoï, tu ne peux jamais t'enfuir, tu m'as contre toi, toujours, et tu es libre et vivante, avec moi. On s'aimait ici, parce qu'on s'était toujours aimés ici, parce que l'embargo avait été levé et qu'un air grisant soulevait les cœurs, Hanoï 2000, jamais ils n'ont revécu cela. Les nouveau-nés débarquaient avec les produits étrangers, ils étaient accueillis avec autant d'enthousiasme, ils jouissaient d'une nouvelle paix, d'une nouvelle ère.

La petite a rencontré cette famille, celle des trois sœurs, elle a pu tourner autour de leur cercle au sol. Elle a vu leurs visages, leurs longs cheveux noirs, elle a entendu leurs voix. Elle était la première petite fille, après les deux petits garçons. Je la revois, cette enfant qui était moi, avec son visage heureux, son rire, ses fossettes, sa joie, je lui dis bonjour, je la tutoie et lui souris comme à quelqu'un qui ne nous connaît pas, mais dont on sait l'avenir, dont on sait ce qui va lui arriver, dont on voudrait sauver la peau. Je lui dis attention, je lui dis ce n'est pas grave. Ce n'était qu'une petite fille, et elle était venue par accident et, parce qu'elle était une fille, c'était, pour sa grand-mère, un accident aussi.

Quand sa première petite-fille est née, *Ba*, qui avait grandi durant la première guerre d'Indochine avec une mère seule et battue, sans savoir sa date de naissance, sans connaître son père, puis durant la seconde guerre d'Indochine, avec ses trois filles sur les genoux, sans avoir le temps de s'étendre, quand sa première petite-fille est née, *Ba* l'a aimée. J'ose le dire parce qu'elle l'a senti, parce que je l'ai senti ; elle l'a aimée comme sa mère n'avait pas pu le faire, comme elle n'avait pas pu le faire, comme sa fille n'avait pas pu le faire. Sans la guerre, sans ce lien direct et complexe qui lie une mère et sa fille, avec la distance d'une grand-mère, elle a choisi la petite et elle a choisi, en même temps, une date d'anniversaire pour remplacer la sienne, qu'elle n'avait jamais trouvée.

En effet, *Ba*, née pendant la guerre, ne connaissait pas sa date de naissance. Il n'y avait pas eu d'acte, de papier, rien de signé. Sa mère, qui ne savait ni lire ni écrire, ne s'était nullement souciée de noter le jour où elle avait accouché. Elle n'avait aucune idée du mois lors duquel sa fille était née, ni de l'année. Quand il fallut, plus tard, se créer une carte d'identité pour le travail, et donc écrire sa date de naissance, *Ba* dut faire quelques recherches. « Essaie de te rappeler. » Sa mère ne se souvenait pas. Elle n'avait aucun repère, à vrai dire. Elle se référait alors aux autres : tu es née à peu près en même temps que ce voisin, et celui-ci. *Ba* allait voir le voisin : quand es-tu né ? Elle finit par avoir une idée approximative du mois. Puis elle s'appuyait sur des souvenirs : elle se rappelait qu'elle savait déjà s'asseoir, la période où tout le monde avait eu très faim. *Ba* se remémore une sensation d'assise et de faim à la fois. Cela voudrait dire qu'elle avait au moins un an en 1945, elle était donc née en 1944 ? Oui, elle se souvient de la famine de 1945, celle qui avait frappé le nord du Vietnam parce que les Japonais avaient décidé de remplacer les cultures de riz par des cultures de jute. Les premières nourrissaient la population, les secondes ne servaient qu'à fabriquer des uniformes pour ce pays ennemi qui les avait envahis. Les gens crevaient de faim. Elle devait avoir un an.

De la même manière approximative, elle avait fait créer une carte d'identité pour sa mère. Cette carte, je l'ai retrouvée en fouillant dans une vieille armoire. Elle a été délivrée le 11 septembre 1978 à Vu Thi Gao, apparemment née le 10 janvier 1920. Au dos de la carte, je trouve ses empreintes digitales et un descriptif vague : « *Not ruoi noi cach 1 cm duoi truoc dau long may phai* », c'est-à-dire : « Un grain de beauté s'apprête à pousser à environ un centimètre en dessous du sourcil gauche. » En retournant la carte, il est possible de vérifier cette description méticuleuse : une photo d'identité est collée. Je découvre le visage de Vu Thi Gao sous une toque villageoise, avec ses deux oreilles qui dépassent, ses sourcils tellement froncés qu'ils soulèvent, au milieu, la peau en rides déterminées. Sa bouche tombe vers le bas, l'air dédaigneux, l'air de dire, oui, je l'ai fait, et alors, t'as un problème ? Mais ses yeux bridés, dont on ne voit pas le blanc tant elle les plisse face à l'objectif, ont une douceur qui fait sourire l'ensemble de ce visage si combatif. Son menton est bien dessiné, levé, en avant sur son cou maigre. Elle est fine, fière, les épaules petites, mais sa toque, ses oreilles, sa bouche et ses sourcils intimident. Du grain de beauté naissant un centimètre sous le sourcil gauche, je ne vois aucune trace, mais je l'imagine, ou plutôt j'imagine l'employé de bureau qui a reçu mon arrière-grand-mère pour lui faire une carte et a hésité un instant devant la case « signe distinctif. » Je l'imagine se pencher vers elle, scruter son visage et, haussant les épaules, barbouiller : « grain de beauté naissant à un centimètre… » Puis appliquer le tampon rouge en dessous, pour valider cette carte, et crier : « Suivant ! » La femme part, laissant place au suivant. Elle part sa carte en poche, et elle s'appelle Vu Thi Gao – son prénom est Gao. Cela me fait sourire car *gao* signifie grain de riz en vietnamien. À une époque de famine, porter « Grain de riz » pour prénom était sans doute comme s'appeler Bonheur, Chance ou Soleil.

À la naissance de sa première petite-fille, *Ba* décida de modifier sa carte. Cela était encore faisable, suite aux nombreuses réclamations, corrections et rétractations. Elle décida d'écrire, désormais, sur ses papiers, qu'elle était née le 30 décembre 1944. La gamine était comme née avant elle, le 30 décembre 1995. Elle la suivit, dans son choix ; sa date lui plut comme sa tête lui plaisait.

C'était une fille, elle avait ses os mais elle était venue après les guerres, après les coups, après les bleus, après les tickets. Elle était neuve et il faisait beau. Nous étions le 30 décembre et *Ba* était d'accord. *Ba* naissait, l'enfant naissait, par accident, comme une petite bombe, mais qui n'éclatait sur aucun pont, et que l'on pouvait serrer dans ses bras.

Petites-filles

Dans le Cong Vien Lenin, parc de la capitale vietnamienne, les gens font leurs étirements à l'aube. On peut voir des citoyens en pyjama brasser l'air matinal d'amples mouvements. La journée, tous travaillent. Le parc est vide, à l'exception de quelques poussettes passantes. C'est le soir, ensuite, que le monde afflue de nouveau : enfants sortis de l'école, sportifs se disputant un match de badminton… Puis, tous rentrent. La nuit tombe, le parc ferme. On n'en voit plus que la verdure à travers les grillages.

Ba y allait trois fois par jour : le Cong Vien Lenin se situait non loin de son immeuble. Elle s'y étirait le matin, jouait au badminton le soir, et à midi elle promenait sa petite-fille dans une poussette de fortune. Les roues mal vissées crissaient contre le sol, la petite bougeait dans son siège à en faire craquer le tissu, et *Ba* poussait cette enfant fièrement. Elle avait à peine cinquante ans, c'était une femme digne, non plus belle, car la détermination avait eu raison de ses traits, mais remarquable. Elle portait des lunettes de soleil noires, un foulard de soie et de longues robes fleuries. Ses cheveux bouclés et encore noirs encadraient son visage ferme. Plus rien ne pouvait l'atteindre ; elle avait parcouru le trajet de sa vie et, dans cette poussette, c'est sa propre date de naissance qu'elle promenait.

C'était sans doute un grand espoir pour elle qui n'avait vu que des femmes meurtries, osseuses déjà, de tenir ce bébé féminin, innocent et joufflu. Sa mère était partie blessée, ses filles avaient dû se cacher, maintenant, elles étaient mariées. *Ba* passait du temps avec l'enfant et de l'amour avec l'enfant, comme avec personne. Elle lui lisait des contes, ses longs doigts tournaient les pages du livre, sous la moustiquaire. Elles faisaient des parties de cache-cache et la jambe de *Ba* dépassait toujours du buisson, avec cette chaussure en plastique rose au bout de sa longue robe en coton fleuri. « Trouvée ! » Elle perdait tout le temps. Sur la petite fille, elle penchait ses cheveux noirs, ses bras, sa peau, ses lèvres, sa voix rayée, son regard ferme. Elle était dure avec les autres, elle leur servait un breuvage de colère et d'aigreur, justifié par l'énergie qu'elle dépensait à la cuisine, au ménage, au marché. Elle avait des choses sur les épaules, la petite le voyait. *Ba* en avait dans le ventre, dans les yeux, dans la voix. Elle le faisait payer, parfois. Pas à la petite.

Entre elles, il y avait un triangle essentiel. L'enfant était née sous le signe du 3, chiffre qu'elle se colla à la peau, qu'elle élut comme son chiffre préféré lorsque, plus tard, dans la cour de récréation, les mômes se demandaient, et toi, quelle est ta couleur préférée, quel est ton nombre préféré. « Le 3. » Pourquoi ?

Par instinct, parce qu'il est rond peut-être, dans ses formes dessinées, parce qu'il n'est pas aiguisé comme le 2 ou le 4, qui ont l'air piquants, blessants. Mais le 3 n'est pas neutre comme le 1 non plus. Le 1 n'est décidé que par sa position, qu'on lui a accordée et que personne ne lui enlèvera. Tu es le premier, lui a-t-on dit, et il n'a plus jamais travaillé. Dans son intimité, il est faiblard. Le 5 quant à lui est insouciant, petit dernier, au loin, touché de rien, rondelet. Le 3 lui plaisait parce qu'il était central, réfléchi, intérieur, ni trop exposé ni trop caché, assez ample pour être généreux, assez serré pour être sincère. Bref, elle s'associait au 3. Le hasard a fait qu'elle est née le 30 décembre et que son médaillon de naissance porte le numéro 396. Dans son hôpital miteux, les infirmières mettaient aux bébés un médaillon en fer, accroché à une cordelette autour de leur poignet, et chaque médaillon était gravé d'un numéro. On identifiait ainsi les enfants, méconnaissables sinon, avec le sang et le placenta dont ils ne les débarrassaient pas. Souvent, d'ailleurs, des échanges et des erreurs avaient lieu. Elle était le bébé numéro 396, soit le bébé des multiples de 3. Or, le chiffre 3 s'écrit de la même manière que le mot « grand-mère », en vietnamien. *Ba,* dont seul l'accent diffère légèrement, signifie « Trois » et « Grand-mère » à la fois. Il est plaisant de constater qu'avec ce lien idiot, ludique, un triangle se dessine.

Cette coïncidence amusante, ou ridicule, s'ajoute à l'évidence du lien dont, jusqu'aux dernières heures de *Ba*, l'on parlait à la petite fille. « Il y avait quelque chose entre elle et toi – elle t'aimait particulièrement », répétait-on. Ce lien, qui a sauté une génération, lui fait ressentir – et si je ne m'appuyais pas sur l'empathie et l'amour, je ferais bien défaut à la modestie – les cœurs bleus et les os maigres des anciennes guerres. Oui, la petite fille porte en elle les cœurs bleus et les os maigres.

Un jour, la seconde H. et son époux français décidèrent de quitter l'appartement familial. Les coutumes du jeune homme ne l'avaient pas habitué à vivre avec les grands-parents, les tantes, les oncles et il préférait avoir un espace pour sa femme, son fils, sa fille, afin d'y vivre leur vie nucléaire. Les grands-parents, et la grand-mère surtout, vécurent ce départ comme un affront. *Ba* espérait que ses filles grandiraient sous le même toit qu'elle, ainsi qu'il en avait toujours été, de génération en génération. De la même manière, elle s'opposait fortement à ce que la petite fille dorme seule dans une pièce. Les enfants devaient dormir dans le lit des parents, selon elle, c'était l'usage au Vietnam. Mais suivant les habitudes françaises, le nourrisson avait sa propre chambre. Cette idée désarçonnait *Ba.* Elle disait, cette petite fille doit m'aimer, car sans moi, sa mère ne serait pas née, et elle ne serait pas née non plus, elle doit m'aimer, vivre avec moi, elle vient de moi. On considéra qu'elle n'avait pas son mot à dire et qu'il fallait qu'elle leur lâche un peu la grappe. Ils emménagèrent donc, malgré ses protestations, dans une résidence, au 501 rue Kim Ma. C'était à deux pas de l'immeuble dans lequel vivaient les grands-parents. Ainsi, il était aisé de remonter la rue pour leur rendre visite souvent.

Cette résidence, créant soudain un aplat blanc au lieu d'une hauteur grise, tranchait avec les autres immeubles de la rue. Ces derniers rangeaient à leur pied une foule de motos, cyclos et vélos. Ils accueillaient des stands de *bo bun* et de porc grillé, des cireurs de chaussures et coiffeurs éphémères. La résidence, au contraire, refusait tout stationnement. Elle était surveillée par quatre gardiens dans leur guérite ; une barrière empêchait quiconque d'entrer. Il fallait habiter l'une des dix maisons à l'intérieur ou bien avoir une autorisation spéciale pour pénétrer ce lieu sacré, tenu propre et calme. Cette distinction avait son coût : les maisons ne furent achetées que par des expatriés, suffisamment aisés. Ainsi n'y vivaient que des Canadiens, des Russes, des Anglais, des Australiens, des Italiens et des Français. La langue que l'on parlait à l'intérieur du 501 rue Kim Ma différait du vietnamien de l'extérieur. On s'y exprimait en anglais principalement, dialecte que les enfants de diverses nationalités adoptèrent vite pour se comprendre entre eux. Bientôt, cette langue propre à la résidence revêtit l'aura de sa richesse. Les enfants qui grandissaient là connaissaient leur privilège. Ce fut le cas des deux métis, fils et fille de la seconde H. Ils voyaient bien le décalage d'atmosphère entre le boucan de la rue dans laquelle vivaient leurs grands-parents et le silence auréolé de leur résidence avec manège et piscine. Entre le confort et le fouillis, ils alternaient, remontant la rue chaque semaine pour aller chez Trang et *Ba*.

Cette dernière venait rarement à la résidence car, passant l'entrée face au gardien, à qui elle devait se présenter comme « une invitée », elle ressentait toujours un certain malaise. Quoi, c'était sa ville, son pays, et cette femme, qui avait tout bravé et construit, devait à présent montrer patte blanche et baisser l'échine pour rendre visite à ses propres petits-enfants ? Cela lui paraissait insupportable, tout comme les regards hautains qu'elle remarquait, ou s'inventait peut-être, une fois franchie la barrière. Ses longues robes fleuries et ses sandales en plastique, élégantes à l'extérieur du 501 Kim Ma, l'étaient-elles encore à l'intérieur ? *Ba* préféra éviter tous ces désagréments et accueillir les enfants chez elle, plutôt que venir chez eux.

Cet arrangement convint bien à tout le monde. Les enfants aimaient faire chaque semaine ce rituel de remonter la rue jusque chez leurs grands-parents. Sur le chemin, entre la maison de la seconde sœur H. et celle de *Ba*, il y avait cette épicerie où l'on trouvait des glaces roses, qui se voulaient à la fraise mais n'étaient qu'à l'eau colorée. Elles étaient meilleures que n'importe quel fruit, parce qu'elles n'étaient pas assez, mais se voulaient tellement. C'était la volonté même, dans ces glaces, de faire mieux, de faire comme en Occident, comme les riches. C'était trop peu : c'était mieux. Les enfants sautaient dessus : des glaces roses ! des glaces style fraise, style framboise, des glaces stylées ! Ils s'en foutaient que ce soit vrai. Ça se voulait et ils les voulaient, ils se les arrachaient. La petite piquait celle de son frère, la lui léchait, il lui tirait les cheveux et les deux rigolaient. Ils faisaient la même taille, avaient les mêmes cheveux noirs, deux jumeaux. Seulement, le garçon était un peu plus sérieux déjà, et la petite fille plus loufoque.

Entrant dans cette épicerie qui se nommait *L's Place*, la petite avait l'impression d'entrer chez Dior. Elle demandait souvent, comme une faveur, si l'on pouvait faire un tour à *L's Place*. Ce n'étaient que vingt mètres carrés de rayons alimentaires, de jouets, de bricoles occidentales : chouchous de couleurs, autocollants, shampooings, peignes à strass, nounours en coton. C'était le luxe. Tout venait d'Amérique, d'Europe, tout était emballé, presque propre. La gamine se pavanait entre les étagères, l'air supérieur, regardait les étiquettes qui affichaient des milliers de dongs pour un serre-tête à paillettes, elle prenait ce bout de toc dans sa main comme un joyau Chopard, elle sifflotait, chantonnait… Puis on lui enjoignait : « Il faut y aller, Line ! Dépêche-toi ! » Alors elle sortait du magasin avec regret, lançait un dernier regard par-dessus son épaule vers la vitrine, et ils continuaient leur route, jusque chez *Ba*. Cette dernière ne manquait jamais de s'affoler quand elle voyait l'enfant débarquer avec un produit *L's Place*. Elle était la seule fillette des environs à se mettre du vernis sur les ongles et à porter une barrette ou un serre-tête. C'était une vraie princesse, en somme, riche de plastique et de fausses glaces à la fraise.

Au déjeuner, la famille mangeait, comme toujours, à même le sol, avec les tantes, les oncles, le père, la mère, le frère, la sœur, les amis, les vieux, les jeunes… Il fallait être vif : les plats se trouvaient au centre et on y piochait. Il fallait avoir un bon coup de baguette pour ne pas finir bredouille. Pendant que les adultes parlaient, les petits se disputaient pour choper les bons bouts de viande avant les autres. Puis ils partaient jouer dans la chambre, avec les machines de sport de *Ba*, véritables révolutions électriques. Ils chassaient les chats aussi, qui se planquaient dans les valises poussiéreuses regroupées sous les lits aux lattes de bois sèches. Et leur plaisir secret ? Prendre dans leurs mains le jouet qu'était ce petit moulin en bois, le remonter pour entendre sa musique se dérouler : la *Lettre à Élise*, première comptine de leur enfance.

Puis ils repartaient, la journée terminée. *Ba* et Trang s'étaient faits à ce mode de vie à moitié occidental. Les petits-enfants métis ne vivraient pas sous leur toit, mais à côté, avec le jeune Français, leur père, duquel ils avaient hérité une autre culture, forcément.

Nourrices

Une jeune femme, Co Phai, rejoignit la famille en cours de route. Elle avait l'âge de la seconde H., mais n'avait pas d'argent. Aînée d'une fratrie de cinq enfants, elle devait trouver un travail : elle s'est présentée pour devenir nourrice, femme de ménage, cuisinière… La seconde sœur H., débordée, et son époux français, bien aisé, la prirent en sympathie. Ils décidèrent de l'engager. Dès lors, Co Phai vécut avec eux, au 501 rue Kim Ma. Elle s'occupait de la maison souvent, de la cuisine parfois, et de la petite fille toujours. Elle intégra le quotidien de cette famille en même temps que Chu Tu, admis comme chauffeur. Ce dernier se chargeait de conduire la Galloper familiale – l'une des seules grosses voitures de la ville. Co Phai et Chu Tu se retrouvèrent ainsi dans la cour du 501 rue Kim Ma un matin, pour ne plus la quitter des années durant. Ils allaient vivre avec cette famille, plutôt qu'à son service. Les enfants couraient autour de la Galloper, grimpaient sur les genoux de Chu Tu, le suppliaient : « Laisse-moi conduire ! » Il fumait sa clope, riait, écrasait son mégot, pardon les mioches, il montait dans le bolide, saluait tout le monde et partait avec sa voiture vrombissante. Ce gros moteur, on le reconnaissait tous les jours, on l'entendait arriver de loin. Co Phai, elle, venait sur un plus petit engin que l'on ne percevait qu'une fois le portail dépassé. Elle conduisait une mobylette qui lui avait été offerte par le jeune Français, afin qu'elle puisse faire des allers-retours chez ses parents plus facilement, quand elle ne dormait pas sur place. Ce cadeau était immense, à l'époque, la Honda valait une fortune. Co Phai parvint à l'accepter, ce qui lui évita de venir à pied, marchant des kilomètres sous le soleil, sans couvre-chef ni chaussures raisonnables.

Ils vivaient bien, alors. Le jeune Français travaillait toute la journée à l'École française d'Extrême-Orient, dans son bureau. Il trouvait des documents inédits lui permettant de mener une étude historique jamais faite sur le pays. Pris de passion pour le Vietnam, il avait décidé non seulement de s'y installer, d'épouser la seconde sœur H., d'épouser, dans la foulée, sa famille, d'avoir des enfants vietnamiens, d'en apprendre la langue, mais aussi d'en faire son métier, c'est-à-dire le sujet de ses recherches. Lui, qui était un jeune historien intéressé par le XVIe siècle en France, changea d'avis : il découvrit les archives vietnamiennes et se mua en historien du Vietnam. Ce pays nouveau, qu'il avait découvert nu, au début des années 90, l'émerveillait – à raison, car il était merveilleux.

Ainsi, la journée, il n'y avait personne dans la maison du 501 rue Kim Ma. La seconde sœur H., avec la curiosité et la vivacité qui lui étaient propres, vaquait à mille occupations. Elle avait toujours ses bras tendus devant, comme ça. Elle rendait souvent visite à ses sœurs, à sa mère. Elle naviguait sur sa petite Honda, elle aussi. Sa situation était soudain plus aisée qu'elle ne l'avait jamais été : on ne parlait plus de cabane en terre battue, de rationnement ni de bombes. Elle vivait maintenant dans une résidence d'expatriés, son mari était un *tay* – un étranger – que l'on montrait du doigt, car il y en avait encore peu à Hanoï, « des Blancs ». Elle s'habillait mieux que ses sœurs, de manière plus élégante, avec des vêtements de meilleure qualité et même quelques bijoux. Sur une photographie de l'époque, prise dans le salon de la grand-mère, on les voit toutes trois, assises. L'aînée a une veste de sport rouge en nylon bouffant – que la troisième H. porte sur une autre photo – et regarde l'objectif, l'air désinvolte, un morceau de fruit à la main. À côté d'elle, la cadette baisse les yeux, l'air tendre, elle observe une fleur sur la table basse, emmitouflée dans son sweat-shirt en coton bleu et noir – que la grand-mère portera sur une prochaine photo. Elles se refilaient les vêtements. Quant à la seconde H., elle se tient à l'écart, à gauche, les jambes bien alignées, les bras croisés, le dos droit, avec le même regard inquiet qu'elle avait sur cette photographie d'enfance, prise dans le village. Elle a des boucles d'oreilles, un collier de perles, du rouge à lèvres, une chemise en soie sous un pull en jersey, glissé dans un pantalon de lin bleu ciel. C'est la plus chic, la mieux parée.

C'est-à-dire, elle avait vu la France quand si peu de gens voyageaient ici, quand tout le monde rêvait d'aller à Paris comme d'aller sur la Lune, elle en était revenue, oui, elle avait même accouché à Blois, elle avait des enfants métis, c'était différent, il n'y avait plus de misère pour elle, non, d'un coup – il faut voir : sa fille se couronnait de diadèmes en plastique *L's Place*.

Finalement, la journée, au 501 rue Kim Ma, il n'y avait pas grand monde et Co Phai était tranquille. La jeune femme s'était bien approprié les lieux. Elle était heureuse d'y travailler, d'y dormir, d'y préparer à manger et d'y voir grandir les enfants. Elle tomba d'amour pour la petite fille – tu le sais, puisque tu y étais. Dès ta naissance, le 30 décembre 1995, Co Phai t'aima. Elle te prenait dans ses bras, t'embrassait, te berçait. Elle te passait tous tes caprices : d'accord pour le rab de « chocolat de France », d'accord pour les pommes de terre dans le riz, d'accord pour sortir jouer après dîner avec les amis, à l'heure du loup, d'accord pour organiser un spectacle de danse et aller imprimer des affiches géantes, d'accord pour les coller sauvagement sur les murs de la résidence, d'accord pour le maquillage outrancier, le vernis à ongles, les coiffures loufoques, d'accord pour les fameuses glaces faussement fraise et les virées chez *L's Place*.

La petite fille et Co Phai étaient si liées qu'elles ne se quittaient plus – Co Phai dormait parfois sur un matelas posé au pied de son lit d'enfant. Et dans la rue, souvent, les gens arrêtaient la gamine, lui caressaient les cheveux, lui demandaient si elle était *tay* ou bien *viet*, d'où venait-elle, ils lui pinçaient les joues… La petite courait se réfugier dans les jupes de sa nourrice, criant : « Maman ! »

Il en était ainsi : cette jeune femme était arrivée dans cette maison avec une affection maternelle, un amour, oui, de ceux que les enfants sentent. La petite fille l'avait senti. Le cœur de Co Phai battait pour ce bébé d'une manière protectrice, viscérale, intime. Elle avait besoin de l'aimer, elle avait envie de l'aimer, et elle l'a aimée, contre son corps. Cet attachement entre elles était visible. L'enfant a gardé pour la Co Phai de son enfance l'amour d'une fille pour sa mère. Elle était contre son corps – contre le tien, oui, et pas contre celui de ton frère, ni de personne d'autre –, contre ton corps à toi, repêché de l'hôpital miteux où il s'était trouvé menacé par les rats, repêché des draps ensanglantés et des médaillons en ferraille 396, repêché des os de ta grand-mère, plein de bleus et de bombes.

C'était l'amour, ici ! Que voulez-vous ? Personne n'avait tort. Chacun voguait, sur sa Honda, l'une arrivait à la maison, par le portail, l'autre la croisait, qui repartait, l'un venait en Galloper, l'autre s'en allait… Hanoï bougeait comme une vague folle, et nous n'étions que des petites barques dessus, qui tanguaient. Il n'y avait pas de rôle préétabli. Chacun faisait ce qu'il voulait, aimait qui il voulait, vivait où il voulait. On ne parlait pas de famille nucléaire ni de société capitaliste. Nous étions censés être plongés dans le communisme et le communautarisme. C'était autre chose. Toi, le péquenaud dans sa serviette de placenta, recueillie par ta nourrice bien aimante, en tongs usés, et ta grand-mère acharnée, tu grandissais sous les strass de plastique, dans les pièces climatisées d'une maison résidentielle. Tu étais entourée de ton père, ta mère, ton frère, tes amis aussi, puisqu'il y en avait toujours deux ou trois qui traînaient dans le salon. Tu étais entourée, oui. Au Vietnam, tu avais cinq familles : ta ville, tes parents, ta nourrice, tes grands-parents, tes amis. C'étaient cinq pôles que tu pouvais rejoindre, quoi qu'il arrivât, qui t'enserraient quotidiennement, étaient là, ta maison, contre lesquels ton cœur battait, que tu aimais à ton lever, ne quittais pas à ton coucher. Oui, tu avais cinq familles et baignais entre elles, heureuse. Tu avais trois mères : la seconde sœur H., ta grand-mère et ta nourrice. Puisque la famille nucléaire n'était pas de mise dans ce pays brouillon, puisque la famille c'était la rue, tu étais un bébé libre, vagabond, un bébé de la rue et de l'eau. Vous aviez une piscine, dans cette résidence, et les enfants y barbotaient dès leur plus jeune âge. C'est-à-dire qu'il fait si lourd dans ce pays que l'eau est une seconde peau. Vous en aviez toujours un peu sur vous, séchée, mouillée, de piscine ou de pluie. Vous n'étiez jamais nés, ici, vous étiez toujours protégés.

En effet, au 501 rue Kim Ma, les enfants gambadaient nus dans la cour, en culotte, en maillot de bain, à califourchon sur les chevaux du manège de la résidence ou bien dans la piscine, prélassés. Ils parlaient, là, jouaient, nageaient, couraient, faisaient du vélo… Quand il fallait se coucher, ils avaient déjà eu trois journées dans leur jour. Mais ils n'étaient pas fatigués : ils avaient envie. Envie de quoi ? De continuer, à se parler, à jouer, à vivre. Ils avaient tellement envie de vivre, là-bas, une vraie soif. Avec ce soleil, cette chaleur, ces amis, cette famille, ce bruit incessant, que vouloir d'autre aussi ? Boire, boire, tout boire. Ils étaient si gourmands, si aimants. Il y avait tout autour d'eux : le lac qui débordait lors des moussons jusque dans leur jardin, au point de leur noyer le menton, eux enfants qui devaient naviguer en barque pour aller d'un point à un autre, canne à pêche à bord, qui ramassaient des poissons gris, dégueulasses mais qu'eux trouvaient beaux, parce qu'ils étaient poissons ; il y avait les arbres géants, la pelouse verte, les animaux – chiens et chats errants qu'ils recueillaient et nommaient… Il y avait tout, vous dis-je, pour leurs yeux émerveillés. Il y avait les nourrices surtout, qui prenaient tellement soin d'eux : rien ne pouvait leur arriver. Ils vivaient entre dix maisons, se rendant les uns chez les autres, constamment. Où est Lucien ? Où est Kate ? Romane a disparu. On ne trouve plus Mackenzie ! Quelqu'un a vu Rachel ? Henry n'est pas chez vous ? Les adultes ne pouvaient pas savoir. Les enfants se dispersaient comme une traînée de poudre. On en trouvait jusque dans les coins. Mais personne ne s'inquiétait : la résidence était sécurisée par des gardiens à leur poste, devant toutes les entrées et sorties du périmètre. Cette liberté enfantine dans un lieu où rien ne peut vous arriver, cette chaleur, cette piscine, ces amis, ces animaux, cette errance, cet amour, ces rires : ils ont pu confondre tout cela avec le paradis.

Embargo

Les enfants d'après l'embargo diront : c'était ainsi, Hanoï 1996, Hanoï 1998, Hanoï 2000, Hanoï 2002, Hanoï 2004, et les années intermédiaires aussi, 1997, 1999, 2001, 2003. La ville a grandi avec nous qui l'avions cueillie jeune, brouillonne, sauvage, pour la quitter régulée, verticale, connectée. En dix ans, elle s'est redressée pour devenir une autre femme. Nous l'avons vue évoluer, de la paysanne aux pieds noirs qu'elle était à la citadine mal chaussée qu'elle est devenue. Hanoï a changé, avec nous, ses enfants, sur son dos. 1995-2005, c'est notre histoire d'amour, ce sont les années que nous avons partagées. Nous, enfants d'après l'embargo, qui avons profité de la ville dans ces jeunes années, l'avons tous quittée ensuite. Nous étions là dix ans, quinze ans, le temps qu'elle change, nous étions les derniers à voir Hanoï XXe siècle, les derniers à cueillir ce visage d'elle. Puis nous sommes partis en France, en Australie, au Canada, aux États-Unis, en Italie, ailleurs, d'où nous venions, ribambelle d'expatriés, gamins fous de toi, Hanoï, parce qu'ils ne t'appartenaient pas mais t'avaient vue nue, ces années-là, pure, mère dénuée, mère aimante, mère adoptive, parce qu'ils allaient te quitter, qu'ils le savaient peut-être déjà, qu'ils n'ont fait que mieux en profiter, de toi.

C'était un carrefour d'amour, personne ne le niera. Nous y étions bien. Nous nous en souvenons aujourd'hui encore avec la même larme sucrée, nous, les enfants. Nous disons : « Oh, ces années-là, oh, ça me pince le cœur, de voir nos têtes de l'époque, Hanoï, je me souviens de toi. » Oui, nous le disons. Ce n'est pas de la poésie, c'est vous que j'entends à droite, à gauche, quand je surprends l'une de vos phrases rares, éparpillées comme elles sont aux quatre coins du monde. Certains se sont même fait tatouer la forme du pays sur leur peau. Pour ces enfants, ce ne sont ni des actes ni des paroles patriotiques, c'est autre chose. Nous n'avons pas été éduqués pour idolâtrer Hanoï. En revanche, nous avons été éduqués par elle, protégés par elle, aimés par elle. Je le dis, je le crois, ce fut une mère pour nous. Et vous étiez mes amis, mon quotidien : Mackenzie, Kate, Isobel, Jooen, Sharon, Yasmin, Romane, Rachel, Ngan, Henry, Duc Anh, Maxwell, Luca… Tous ces noms divers, venus par-delà les mers, c'était nous. Nous nous aimions. Ça aurait pu durer une vie.

Moi, je pensais réellement que cela durerait une vie. C'est ce que me promettaient les choses autour, les mots, les exclamations, les paysages, les rires, les habitudes, les visages, les parfums, les figures… Je pensais que cela allait être ainsi, la vie, que moi aussi je prendrais ma petite Honda pour partir sur les routes, doubler les autres motos, que ce serait la fête, qu'il ferait chaud, que nous nous aimerions, visages amis, figures d'amour, je pensais que je grandirais avec Co Phai et *Ba*, que je deviendrais une grande fille, sur ma Honda, que je rirais, gueulerais, que j'aurais de la joie, mes copains, mes animaux, et de l'amour… Je voyais vraiment la suite de la vie sur ma moto qui navigue, comme ma nourrice, comme mes tantes, comme tout le monde. J'en avais envie. Et puis soudain, non. Soudain, ça n'a plus été possible. D'un coup, tout s'est tu. Tous les bruits. Toutes les couleurs. La terre s'est effondrée.

Un après-midi, soudain, la maison fut vidée. Les objets étaient jetés, donnés ou empaquetés. Les chats, les poissons, les tortues, pareil : ces compagnons d'enfants furent éparpillés. Qui veut de Minouche ? Tout s'en allait. Co Phai aidait aux derniers rangements, le jeune Français portait les charges les plus lourdes, supervisait le travail, Chu Tu aidait aux déplacements, la seconde H. bouclait les valises… Une fois le déménagement terminé, la maison refermée, ils se réunirent dans le jardin de la résidence, avec les deux enfants et leurs amis aussi. *Ba* déboula, en hâte, Trang également, ainsi que les deux autres sœurs H. Dans la cour du 501 rue Kim Ma, il y avait tout le monde. Alors, Chu Tu prit l'appareil photo. Il demanda aux adultes de se placer derrière, les enfants devant, sur leurs genoux. Il avait sa cigarette au bec, il appuya sur le déclencheur. Co Phai serrait la petite fille contre elle, et sur les photographies on voit encore son sourire amer. Les enfants du voisinage se sont attroupés autour du manège, ils sont venus poser pour quelques clichés grimaçants. Il y eut quelques photographies avec les grands-parents, les tantes… On ne comprenait pas trop pourquoi : étaient-ce des souvenirs en avance, comme des surgelés que l'on fabriquait ? Étaient-ce les dernières images, toutes dernières ? Était-ce un adieu ? Pourquoi étaient-ils tous là, regroupés dans cette cour, ce jour précis ? Était-ce la fin ? Leur présence à tous, ici, avait comme un air de générique… Oui, c'était la fin. C'est ce que disaient leurs corps présents, celui de la grand-mère, celui des trois sœurs H., celui de la nourrice, celui des enfants, du grand-père, du chauffeur, du père. Ils étaient tous venus agiter le mouchoir.

Hanoï, ça aurait pu durer une vie. Nous aurions pu grandir avec elle, vivre les années 2010 avec elle, puis 2015. Nous aurions pu la voir adolescente, faire sa crise, se couvrir de Zara, de H&M et de tours informes. Nous aurions pu la voir lorgner sur les États-Unis, vouloir un peu de New York, la voir lorgner sur la Chine, vouloir un peu de Hong Kong, et ne pas réussir, car elle restait si brouillonne, si mal organisée. Nous aurions pu être un peu euphoriques et un peu déçus avec elle. Mais non : nous n'avons même pas connu Hanoï 2006. Juste avant, nous avons décidé de déménager en France. Il était temps de rejoindre la famille du jeune touriste français qui s'était établie depuis quinze ans déjà au Vietnam. Il était temps pour lui de rentrer. Et peut-être que c'était bien ainsi, finalement. Peut-être qu'avoir quitté

Hanoï à temps fut une manière de garder d'elle un souvenir tellement beau qu'il en devint douloureux. Partir en 2005, c'était comme quitter quelqu'un après dix ans d'amour, alors que tout allait, alors que nous étions heureux. Hanoï est restée telle quelle dans mon cœur, avec son engouement d'après-guerre, d'après l'embargo, d'après la misère et les os, Hanoï est restée notre mère. Nous sommes partis.

Ce fut très soudain. Comme ça, un après-midi, le cordon ombilical se rompait : un taxi attendait devant le 501 de la rue Kim Ma, le jeune Français, la seconde sœur H., le fils métis et la petite fille y avaient monté leurs valises, le chauffeur avait noté l'adresse de l'aéroport, dans la cour se tenaient les grands-parents, la nourrice et les amis, les photos de souvenir avaient été prises, sans savoir pourquoi il fallait se souvenir, parce que quoi, parce qu'il allait arriver quelque chose ?

Vous ne saviez pas, mais quelque chose s'échappait, oui, votre liquide d'amour peut-être, quelque chose se déchirait, avec cette voiture devant, jusqu'à laquelle vous glissiez, valises au bras, les portières s'ouvrent et voilà que vous montiez, ça y est, vous étiez installés, tu te retournes, les portières se ferment, tu es sur la banquette, petite fille, le taxi va démarrer, à travers la vitre arrière tu perçois Co Phai sur le trottoir qui agite un mouchoir et pleure, à chaudes larmes, ta grand-mère aussi, qui pleure, deux amis, deux de ces enfants, courent derrière la voiture qui démarre, elle roule, et les silhouettes rétrécissent.

La petite fille sourit, elle est heureuse, ils partent en voyage, mais les silhouettes rétrécies pleurent encore, pourquoi ? Rien n'est dit mais avec les larmes des silhouettes une petite contraction lui prend le cœur, avis funeste, où allons-nous et, surtout, pour combien de temps, ce mouchoir agité, que veut-il dire, que savent-ils ? Les silhouettes disparaissent, ont disparu, et la route les déverse à l'aéroport. Cette autoroute, ce sont les premières et les dernières images de la ville : l'asphalte coule entre deux rizières, l'une à droite, l'autre à gauche, ils glissent dessus, dans un flot de motos, gris sur vert, et regardent les taches beiges et brunes perdues dans l'herbe, chapeaux coniques et bœufs éparpillés dans les champs vietnamiens. L'avion décollait. En deux heures à peine, c'était terminé. Hanoï 2005, c'était fini. Il n'y aura plus jamais cette chaleur.

Quand je reviens, treize ans plus tard, face au 501 Kim Ma, sur les lieux de cette résidence où nous avons tant ri, il n'y a plus de maison ni d'immeuble. C'est un grand terrain vague, dit en construction, mais qui semble plutôt en déconstruction. Je demande à un passant ce qu'il en est de l'ancienne résidence. Quand a-t-elle été démolie ? Pourquoi ? Il me répond qu'ils l'ont détruite il y a treize ans, à la fin de l'année 2005. Ils voulaient construire des bureaux à la place. Les maisons d'expatriés s'étalaient au sol et prenaient trop de mètres carrés pour loger peu de monde. Ils avaient l'intention d'élever une barre en hauteur. « Et ils ne l'ont toujours pas fait, depuis treize ans ? » je demande, étonnée, face au vide devant moi. Il mâchouille un bout de canne à sucre et hausse les épaules :

« Non, le projet a été abandonné. Ils ont voulu revendre le terrain mais personne ne veut l'acheter.

— Pourquoi ? Il est bien placé ! Au centre de la ville.

— Mais il est hanté.

— Quoi ?

— Il y a des fantômes, dit-on, qui le hantent et empêchent toute construction. Ce terrain est maudit. »

Je reste bouche bée. La résidence où nous avons joué, aimé, ri, nagé – cette résidence d'amour est hantée par des fantômes. Le passant passe. Je demeure seule face au terrain vague, d'abord attristée, puis soudain euphorique : les fantômes, ce sont ceux de notre enfance, me dis-je naïvement. Mais quoi, toute une société refuse d'investir dans un terrain au cœur de sa ville, craignant les fantômes, alors si c'est moi qui suis naïve de penser que… Bien sûr, ce sont nos fantômes, quoi d'autre ? Personne ne saura aimer mieux que nous sur ce terrain-là. Nous avons ôté toutes les possibilités. Le 501 rue Kim Ma, c'est nous. Je repars, déboussolée. Il n'y a plus rien derrière moi, que trois fantômes ricanants, peut-être. Le terrain est vide, le passé dissolu et dissous.

Vieilles dames

Il serait difficile d'exprimer le sentiment de cette vieille dame à sa place mais ce qui est certain, c'est qu'elle s'est retrouvée seule dans le Vietnam du XXIe siècle. Sa fille aînée, remariée, déménageait avec son nouvel époux en Pologne. Elle emmenait avec elle ses deux fils, à Varsovie. La grand-mère, qui gardait tout ce petit monde sous son toit, a vu un pan se décrocher et une place vide s'étendre. Ensuite, sa seconde fille est partie en France, avec ses deux enfants et son mari. Un second pan tombait et une seconde place vide venait s'accoler à la première pour former une innommable vacance. La maison, d'abord si bruyante, se taisait. La vieille femme esseulée, qui s'était défendue contre les coups, les bombes, les guerres, les famines et les couches, n'avait plus rien à combattre. Autour d'elle, on avait déserté. Le territoire qu'elle avait défendu, sa propre armée, sa garde rapprochée, l'avait quitté. Vétérane isolée : tout cela pour rien ? Elle glissa le long d'une pente de tristesse, qu'avait préparée déjà son caractère nerveux, y creusant des sillons profonds où l'eau coulait plus encore. C'était une pente terreuse, fragile, vacillante,

« Au creux de ma poche se trouve ce médaillon en étain (...) plus identitaire encore qu'un passeport, moins biométrique peut-être. Ce médaillon (...), m'a été posé sur le poignet à la maternité et on y a gravé "396", mon numéro de naissance. (...) Et je reviens comme chaque fois, le bébé de qui ? Le bébé de personne, le bébé de tous les voyages que j'ai faits seule pour en obtenir la réponse. Aujourd'hui, je reviens, en paix, clore le chapitre de cette histoire.

CARTE D'EMBARQUEMENT
BOARDING PASS
PAPIN/LINE
AIRFRANCE
SKYPRIORITY

FIN EMBARQUEMENT 15MN AVANT DEPART - GATE CLOSED 15MN BEFORE DEPARTURE

VOL: FLIGHT: VN0018 01JUL18
EMBARQUE: BOARDING: 13:00
PORTE: GATE: M31
SIEGE: SEAT: 2A
DE: FROM: PARIS CDG 2E
A: TO: HANOI HAN 2
CLASSE: CLASS: J
PAR/BY: VIETNAM AIRL DEP. 14:00

« J'ai retrouvé deux photographies en noir et blanc. La première montre les sœurs H. avec leur mère, assises sur le rebord d'une baraque trouée par une fenêtre à barreaux. *Ba* tient sur ses genoux la plus petite H. et les deux autres sont collées à sa droite et à sa gauche. (...) L'autre photographie est plus gaie : *Ba* porte la troisième H., elles rient aux éclats, (...) et derrière elles se dresse un mur de bambous. »

« Ils se regardaient dans le blanc des yeux, très amoureux, lui à travers les lunettes qu'il portait sur le bout de son grand nez blanc, elle sous la frange de cheveux noirs qui tombait jusqu'à son petit nez jaune. C'était leur premier amour. »

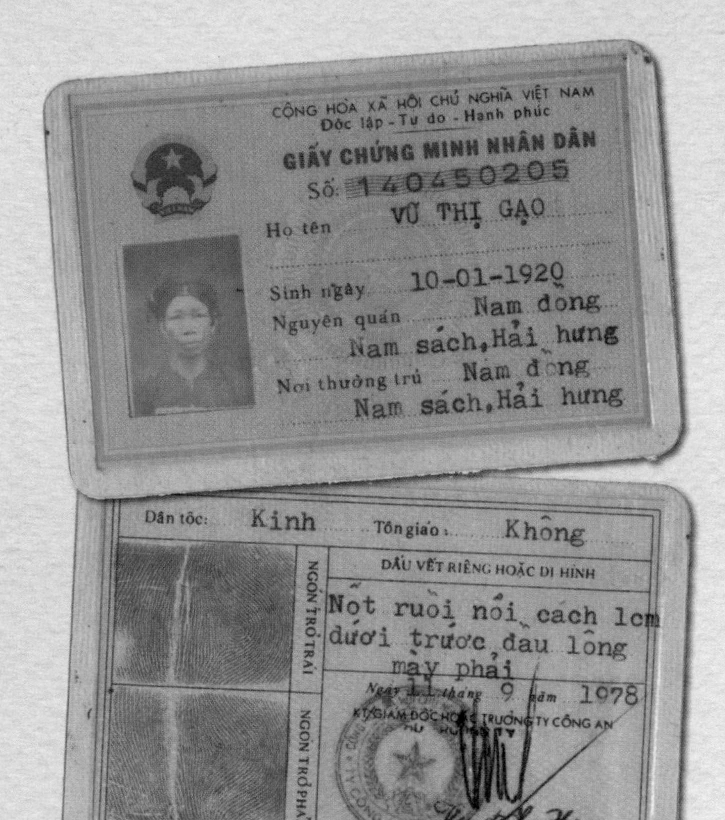
CỘNG HÒA XÃ HỘI CHỦ NGHĨA VIỆT NAM
Độc lập - Tự do - Hạnh phúc
GIẤY CHỨNG MINH NHÂN DÂN
Số: 140450205
Họ tên VŨ THỊ GẠO
Sinh ngày 10-01-1920
Nguyên quán Nam đong
Nam sách, Hải hưng
Nơi thường trú Nam đồng
Nam sách, Hải hưng

Dân tộc: Kinh Tôn giáo: Không
NGÓN TRỎ TRÁI
NGÓN TRỎ PHẢI
DẤU VẾT RIÊNG HOẶC DỊ HÌNH
Nốt ruồi nổi cách 1cm dưới trước đầu lông mày phải
Ngày 11 tháng 9 năm 1978
KT/GIÁM ĐỐC HOẶC TRƯỞNG TY CÔNG AN

« Cette carte, je l'ai retrouvée en fouillant dans une vieille armoire. Elle a été délivrée le 11 septembre 1978 à Vu Thi Gao, apparemment née le 10 janvier 1920. Au dos de la carte, je trouve ses empreintes digitales et un descriptif vague : (...) “Un grain de beauté s'apprête à pousser à environ un centimètre en dessous du sourcil gauche.” »

« Elle s'appelle Vu Thi Gao – son prénom est Gao. Cela me fait sourire car *gao* signifie grain de riz en vietnamien. À une époque de famine, porter "Grain de riz" pour prénom était sans doute comme s'appeler Bonheur, Chance ou Soleil. »

« Elle était le bébé numéro 396, soit le bébé des multiples de 3. Or, le chiffre 3 s'écrit de la même manière que le mot "grand-mère", en vietnamien. *Ba*, dont seul l'accent diffère légèrement, signifie "Trois" et "Grand-mère" à la fois. Il est plaisant de constater qu'avec ce lien idiot, ludique, un triangle se dessine. »

« (…) à midi elle promenait sa petite-fille dans une poussette de fortune. Les roues mal vissées crissaient contre le sol, la petite bougeait dans son siège à en faire craquer le tissu, et *Ba* poussait cette enfant fièrement. Elle avait à peine cinquante ans, c'était une femme digne, non plus belle, car la détermination avait eu raison de ses traits, mais remarquable. Elle portait des lunettes de soleil noires, un foulard de soie, et de longues robes fleuries. Ses cheveux bouclés et encore noirs encadraient son visage ferme. »

« Elle tomba d'amour pour la petite fille (...). Dès ta naissance, le 30 décembre 1995, Co Phai t'aima. Elle te prenait dans ses bras, t'embrassait, te berçait. (...) Le cœur de Co Phai battait pour ce bébé d'une manière protectrice, viscérale, intime. »

« Sur une photographie de l'époque, prise dans le salon de la grand-mère, on les voit toutes trois, assises. L'aînée a une veste de sport rouge en nylon bouffant – que la troisième H. porte sur une autre photo – et regarde l'objectif, l'air désinvolte, un morceau de fruit à la main. À côté d'elle, la cadette baisse les yeux, l'air tendre (...). Quant à la seconde H., elle se tient à l'écart, à gauche (...), avec le même regard inquiet qu'elle avait sur cette photographie d'enfance, prise dans le village. »

GARDIEN
501 Ki

« (...) tu es sur la banquette, petite fille, le taxi va démarrer, à travers la vitre arrière tu perçois Co Phai sur le trottoir qui agite un mouchoir et pleure, à chaudes larmes, ta grand-mère aussi, qui pleure, deux amis, deux de ces enfants, courent derrière la voiture qui démarre, elle roule, et les silhouettes rétrécissent. »

« France froide trottoirs tapés tapants manteaux civilisés feux rouges verts chiants allez y traversez non pas maintenant. »

« La maison dans laquelle vous débarquiez, en France, vous attendait, comme mise au courant. Elle était apprêtée déjà, tout en tapis, tableaux, moquettes et moulures… (…) Le jeune Français en avait fait l'acquisition un an avant, afin que sa famille y loge, et durant l'année vacante il l'avait prêtée à sa sœur. (…) Lorsqu'ils débarquèrent, quelque chose avait déjà eu lieu, qui n'était pas à eux. »

« Le père voudrait savoir, voudrait pouvoir. Il ne sait pas, il ne peut pas. Ce n'est pas lui qui meurt. Cette fois-ci, rien ne dépend de lui. Ce qui arrive à sa fille, ce qui lui glisse entre les doigts, est indépendant de lui. »

peur

tristesse

fatigue

combat

maladie

qui portait le poids d'une vieille femme seule. Longtemps, le liquide insinua les rainures de ce pénible toboggan pour le fragiliser plus encore et, longtemps, elle se laissa déraper dessus.

Puis, un jour, une lueur qui brillait à côté l'attira. Ce n'était plus un élément de sa vie passée, plus un de ses souvenirs ou ressentiments qu'elle traînait avec elle dans cette pente de boue. C'était autre chose, de complètement différent, qui scintillait non au pied du toboggan, non dessus, mais véritablement à côté, comme dans une autre pièce. C'était un objet. Il éveilla sa curiosité au point qu'elle se décida à quitter sa sombre rampe. Elle se leva et se dirigea vers cet objet, source de son futur plaisir. Qu'était-ce ? La luminosité d'un écran. Oui, c'est ce qu'elle trouva pour en finir avec son ennui : un ordinateur. Il n'y avait plus de guerres, de filles perdues, de terre battue là-dedans. Il y avait Internet et elle s'amusa beaucoup de cette découverte, sur sa machine des années 2000, *computer* aussi gros qu'un micro-ondes. Elle passait alors des journées entières à apprendre comment cela fonctionnait, à écrire ensuite aux internautes, à rencontrer des amis virtuels, à rédiger des poèmes et des textes polémiques sur son blog qu'elle créait. Soudain, une terre nouvelle, électrique, traversée de bleu, de gris, de rouge, de noir, d'éclairs de connexion et de sonorités informatiques s'ouvrait à elle.

Ba fut si éprise du *World Wide Web* que nous la perdions dans la Toile. Elle n'appelait plus ses enfants – elle qui pestait tout le temps au téléphone, pourquoi je n'ai pas de nouvelles depuis hier, vous ne me dites rien, vous m'oubliez, vous êtes ingrates… C'était fini : elle décrochait maintenant, distraite, quand on l'appelait au bout d'un mois de silence. « Tu ne dis rien ? Tu fais la tête ? » Elle répondait d'une voix lointaine et gaie : « Non, non… Mais je n'ai rien à te dire, rien de nouveau… Tiens, je te laisse, je suis en train d'écrire un article. Bisous. » Elle raccrochait et se remettait sur son clavier, à tapoter, sourire, s'indigner, rire ou manifester. Oui, manifester, car elle traînait sur des sites engagés malgré les strictes règles du régime. Elle contournait les interdits *via* Internet, osait parler, dire ce qu'elle pensait. C'était une blogueuse militante. Elle contribuait au débat public, rassemblait sous ses paroles un flot de commentaires et se rendait souvent en personne aux manifestations sauvages qu'elle organisait avec ses amis de la Toile. Elle prenait son sac à main, son foulard, ses chaussures en plastique rose et elle descendait les escaliers, sans dire au revoir, sans rien annoncer. Elle courait jusqu'en bas de l'immeuble, montait sur sa mobylette, glissait les clés dans le contact, démarrait et roulait, petite grand-mère, jusqu'au lieu de la manifestation. C'étaient toutes sortes de révoltes. La dernière dont je me souvienne concernait les archipels Paracels et Spratleys : les gens réclamaient le départ des Chinois, qu'ils laissent au pays ces îles vietnamiennes. Pancartes, cris et poings levés : ma grand-mère était au premier rang avec son petit foulard fleuri autour du cou. Elle n'avait peur de rien car elle en avait déjà tant vu !

En revenant à la maison le soir, elle était épuisée et ne pensait pas aux filles parties. Elle se connectait sur son site : il y avait du monde et du bruit. Ainsi, *Ba* trouva sur Internet la place publique de son village natal, où déverser ses pensées outragées, mûres d'avoir traversé les guerres et l'Histoire – cette histoire qu'elle avait tant aimé étudier sur les bancs de l'école.

Voyez, c'est une vieille dame qui avait traversé les guerres et qui continuait à lutter. Elle l'avait dans le sang, dans le cœur, dans les os. Qu'est-ce qu'elle gueulait. À soixante-cinq ans, un cancer a réduit son cri, affaibli sa fougue. Elle cessa avec l'ordinateur parce qu'elle ne pouvait plus taper. À soixante-cinq ans, elle mena son dernier combat, le seul qu'elle perdit, mais avec honneur et fierté. Le cancer l'emporta.

À son enterrement, il y avait sa famille maternelle, ses amis, son mari, ses filles, entourés de plusieurs couronnes de fleurs comme le veut la coutume. Ils étaient tous habillés en blanc, c'est l'usage aussi. C'était douloureux ; c'était doux. Les sœurs pleuraient, se tenant la main. C'était la fin. Il y avait peut-être un peu de vent, pour agiter les fleurs en guirlande, les vêtements blancs et leurs longs cheveux noirs. Puis, elles ont vu arriver un groupe de jeunes, en jeans troués, tignasses décolorées, nez et sourcils percés. Ils portaient eux aussi une grande couronne de fleurs et avaient l'air dévastés. Les sœurs se regardent, se demandent, qui est-ce, de la famille, on ne les a jamais vus ? Le vent continue de souffler. Le groupe de punks lève sa couronne. Alors, on voit écrit dessus le nom du blog de *Ba.* Les sœurs avalent leurs larmes pour éclater franchement de rire. Une horde de blogueurs est venue saluer la grand-mère à son enterrement, sans craindre de faire deux heures de route jusqu'au village perdu où il a lieu. Elle part couronnée des fleurs de la Guerre, des fleurs de ses Filles, des fleurs de son Blog. Quelle femme… Maintenant, on peut serrer ses os contre notre cœur.

Oui, c'est dans ce cimetière flottant sur les rizières que l'enterrement a eu lieu et que sa tombe se trouve, non loin de la pagode en suspens sur son lac de lotus. Ma grand-mère est revenue dans le village où elle est née. Son corps repose dans la verdure, ses os rejoignent sa terre natale. Sa tombe est un coffret de marbre noir, caressé par l'eau des rizières où se reflètent les nuages, entouré du silence des plantes et des buffles. Seuls les cris des enfants sortis de l'école, courant vers la pagode après les cours du soir, réveillent les moustiques endormis et les souvenirs d'une enfant studieuse. Sur sa tombe, on a posé un portrait d'elle, des offrandes, de l'encens, des fleurs, une statuette de Napoléon, des gâteaux et une bouteille d'eau que l'on verse doucement sur la pierre brûlante comme sur un visage, pour le rafraîchir d'être au soleil. La pierre boit l'eau sans attendre. La chaleur l'évapore. Le vent souffle sur les feuilles alentour qui s'agitent. Les rizières tremblent d'être caressées. Dans les maisons du village, habitent encore la sœur de *Ba* et l'un des frères de Trang ainsi que leurs enfants et leurs petits-enfants. Le village est resté familial. *Ba* repose.

Belles-sœurs

Arrivée en France, la seconde sœur H. tenta de trouver un travail, d'apprendre le français, de s'intégrer, dirons-nous. Ce système scolaire, cette ville, ces codes, cette langue, cette richesse, elle ne les connaissait pas. Elle les découvrait. Elle apprit à conduire une voiture. Son permis vietnamien n'était pas valide en France : là-bas, on roulait à l'arrache, on faisait demi-tour en plein boulevard, on klaxonnait pour éviter le carambolage. « C'est ta route, tu y roules. Aucun connard ne doit t'empêcher de passer ! » C'est ainsi que son professeur de conduite lui avait expliqué le code de la route au Vietnam. Il fallait foncer dans le tas, à la force du moteur. En France, on faisait les choses différemment. Elle apprit. De la même manière, elle décida d'apprendre à nager. Elle n'avait pas eu l'occasion d'essayer. Elle prit des cours à la piscine municipale.

Cette femme rencontrait la famille de son époux : ses deux sœurs françaises et ses parents, qui habitaient dans la même ville, en Touraine. Les réunions de famille, désormais, ne se faisaient plus par terre, en cercle au sol, mais plutôt dans le salon, sur un canapé, ou dans la salle à manger bourgeoise, sous un lustre. On dînait avec des couverts, des piques à l'apéritif et des petites fourchettes pour les huîtres. Elle devenait « belle-fille », « belle-sœur ». Elle devenait « tante » aussi, puisqu'elle rencontra ses cinq nièces françaises. Aux réunions de famille, tous les enfants parlaient français, y compris les siens. On leur lisait des histoires françaises, on leur chantait des chansons françaises. Elle dut prendre le train en marche.

Elle était vive et curieuse, avec ses cheveux raides, noirs, longs. Elle apprit à entrer dans cette nouvelle histoire, ces nouvelles coutumes, celles de la France en 2005. Car, oui, la France, en 2005, c'était autre chose : ils avaient déjà dix pas d'avance sur le Vietnam. Cette année-là, ils lançaient la télévision numérique terrestre, Dominique de Villepin était nommé Premier ministre, ils construisaient le réacteur à fusion nucléaire ITER, Laurence Parisot était la première femme élue présidente du MEDEF, il y avait des émeutes de banlieue, des manifestations de lycéens… Ils savaient, ici ; les gens étaient établis, s'établissaient ou bien constataient l'établissement et le contestaient. C'étaient des adultes déjà, dans leur manteau molletonné. Au Vietnam, on était à poil. On balbutiait, bambins sortis de la guerre. Loin de nous la TNT et les revendications politiques : nous étions dans nos sandalettes, au soleil, avec nos amis dénudés, dans la piscine. Nous mangions à même le sol, c'est tout, bavardions sans savoir, le cerveau lessivé par ce communisme patriotique aussi blanc, aussi sec qu'un bol de riz. On ne chipotait pas sur les sauces, les accompagnements. Mais en France, en 2006, c'était autre chose : Amélie Mauresmo remportait ses grands chelems, ils parlaient de la *tennis girl* à la télévision, la grippe aviaire inquiétait, les politiciens se préparaient à l'élection présidentielle, l'affaire des bébés congelés de Courjault faisait la une des esprits et des journaux, dans la cour de l'école primaire tournaient quelques ragots, ils décrétaient l'interdiction de fumer dans les lieux publics, la fiscalité baissait de sept milliards et demi d'euros, *De battre mon cœur s'est arrêté* rapportait deux César à Audiard... Ils étaient déjà dans les informations, déjà révoltés, déjà pressés. Ils étaient au courant de tout et s'indignaient. Ils pointaient une chose du doigt, puis une autre. C'était une crise volontaire, ils savaient. Au Vietnam, on se laissait comme porter, ignorant les choses. La troisième sœur H., par exemple, n'avait jamais entendu parler d'Hitler. Quand elle apprit, à trente ans, qu'Hitler avait « tué les Juifs », elle s'exclama : « Oh, quel méchant homme ! »

Alors voilà, en France, ils étaient bien habillés. On était à la rue, nous, à côté. C'est ce que pouvait penser la jeune épouse qui débarquait. Ce qu'ils contestaient dans leur crise cette année-là, nous ne l'avions jamais eu. Débarquer là-dedans, n'être au courant de rien, attraper en route une culture grise, des voisins français, des habitudes de rôti et de pommes frites, n'avoir plus de repères, plus d'amis, plus de mère, c'était soudain, c'était Vietnam 1995 face à France 2005, c'était compter sur son mari, comprendre son quotidien, c'était se débrouiller là-dedans. Et pour la petite fille, son enfant, c'était ne rien dire, avoir dix ans, ne rien comprendre, et ne rien vouloir ressentir. C'était perdre d'un coup les deux femmes qui l'avaient élevée, qui lui avaient tenu la main depuis sa naissance : sa grand-mère et sa nourrice – mais aussi ses amis, son pays, ses repères. Et à la place, quoi ? À la place, la présence froide et silencieuse d'une Touraine jamais choisie et d'une seconde H. qui n'a pas eu le temps de dire à son bébé 396 tu es belle, mon enfant, je te comprends, tu me comprends, je t'entends, je t'aime, raconte-moi, des baisers, de l'amour, des câlins, non, pas le temps, ni l'espace, ni la langue. Tout à coup, elles se retrouvaient l'une face à l'autre, la mère et la fille, comme elles ne s'étaient jamais vues. Dans ce pays nouveau, dont la petite avait la nationalité, la mère était moins apte à communiquer que sa fille, parlait moins bien sa langue. Elle était plus étrangère. La rupture était consommée. La petite ne voulait plus parler vietnamien non plus. Elle avait honte, face aux élèves français, d'être une Asiatique. Elle embrassa son identité française, la culture de son père, se reposa sur cette nationalité qu'on lui désignait. L'aimait-elle davantage ? Non, mais elle se fondait dans cette masse différente de son passé, de son amour et de la seconde H. Ce décalage s'opéra sur un sol sec. Rien ne retint l'enfant 396 à la seconde H. Elles glissèrent, chacune, sans se tenir.

Elles devinrent étrangères. L'étrangeté se déclinait dans la rue, sur la peau, dans la langue, sur les gestes, dans les manières et la voix, dans les accents et le cœur. Soudain, une femme devenait étrangère dans un pays ; soudain, une femme devenait étrangère au cœur de son enfant. L'étrangeté, si on ne la soignait pas, était contagieuse et mortelle, mais elles l'ignoraient encore. Cachée derrière les replis des vêtements, de la langue et du cœur, l'étrangeté éloignait, espaçait et noyait dans une ombre froide. Ce n'était d'aucune évidente violence. Rien ne se palpait, rien ne se savait. Les ondes sismiques de ce déménagement brutal et définitif ne se firent ressentir que plus tard, alors qu'elles avaient creusé déjà des failles. La petite fille allait grandir seule. Une guerre, un exil, une crainte empêchent-ils de serrer son enfant dans ses bras ? Je n'ai pas de rancœur, non, pas d'exigence contre ce qui nous est arrivé, mais j'ai de la peine, maman, tellement de peine. Pourquoi a-t-on dû partir et quitter tous ceux qui m'aimaient ? C'est la question que je pose, comme un soupir. J'ai de la peine car ceux qui m'aimaient, je les aimais aussi. Pourquoi a-t-on dû couper, sous le pied de l'amour, toute l'herbe ?

Cousines

Il n'a jamais fait si froid qu'en France. L'effervescence, c'était là-bas – et à dix ans, là-bas, c'est loin. On n'imagine pas, à cet âge, qu'il y a un futur fait d'avions, de voyages, de retrouvailles. C'est fini quand c'est fini, à dix ans, c'est fini comme c'est cassé. Oui, en 2005, ils n'avaient pas l'esprit large : Skype, WhatsApp, Facebook et toute cette clique n'existaient pas. Quand ils sont arrivés en France, en Touraine d'abord, c'en était fini de son enfance, d'une manière irrévocable, fini de ses amis, de sa nourrice, de sa famille. Hanoï brûlante, c'était à l'autre bout du monde, et c'était à jamais, à Dieu, Adieu.

Tu n'avais aucun pouvoir : tu étais montée dans ce maudit taxi, tu avais montré ce maudit ticket à l'hôtesse de l'air et tu avais atterri dans cette maudite France froide. Il n'y avait plus de retour possible. Il n'y aurait plus rien du Vietnam, plus rien de ta grand-mère, plus rien de ta nourrice, plus rien de tes cinq familles et de tes trois mères. Vous étiez là, désormais, sur ces trottoirs silencieux, avec ces fringues horribles, pulls à col roulé, manteaux, écharpes, quoi encore, jamais porté ça, et de la bouffe lourde, steak haché, spaghettis, gratin dauphinois, quoi encore, jamais mangé ça, et ces piétons qui attendent le feu vert pour traverser, passages cloutés, ces voitures qui s'arrêtent au rouge, dociles, quoi encore, jamais vu ça… Oh, c'était d'un chiant ! Ça bougeait bien, avant, du bruit, des cris, des bousculades, pas de feu, pas de règles, si je veux y aller, j'y vais, les scooters font demi-tour en pleine avenue, se coupent la route, et les piétons rentrent dans le tas, risquent de se faire tuer à chaque seconde, et on est à poil, on a chaud, on sue, on tremble… Plus rien. France froide trottoirs tapés tapants manteaux civilisés feux rouges verts chiants allez-y traversez non pas maintenant.

La maison dans laquelle vous débarquiez, en France, vous attendait, comme mise au courant. Elle était apprêtée déjà, tout en tapis, tableaux, moquettes et moulures… Elle avait ses carreaux de faïence jaune dans la cuisine, ses revêtements en bois, sa verrière et sa terrasse sur laquelle glissait un auvent rayé, blanc et vert, à bordure en dentelles, formant une ombre bourgeoise sur le déjeuner de midi. Le cerisier était planté au milieu du jardin, les diverses fleurs – roses, hortensias – mises dans les pots. Il n'y avait jamais eu de telles fleurs au Vietnam. Les couverts étaient dans leur tiroir déjà et les casseroles chromées dans leur placard. La salle de bains en faïence bleu Klein présentait une double baignoire et une douche aux multiples jets massants. Tout était prêt. Dans les chambres d'enfants, au troisième étage, les draps étaient déjà mis dans les lits et quelques peluches se trouvaient même éparses, sur le sol. La demeure, imposante sur son boulevard tourangeau, était déjà habitée. Le jeune Français en avait fait l'acquisition un an avant, afin que sa famille y loge, et durant l'année vacante il l'avait prêtée à sa sœur. Ainsi, lorsqu'ils débarquèrent, la maison était celle d'une autre vie, emplie de voix et d'habitudes françaises. Cette sœur avait trois filles – Juliette, Mathilde et Joséphine ; elles avaient déjà froissé leurs odeurs dans les draps de cette maison. Lorsqu'ils débarquèrent, quelque chose avait déjà eu lieu, qui n'était pas à eux.

Parmi ces choses, le Noël annuel, la présence des grands-parents français, les vêtements d'hiver, la purée, les vélos dans le parc. C'était froid et propre, ça roulait sur des pneus gonflés. Quant à la demeure sur le boulevard, c'était l'antre. Contrairement aux maisons ouvertes de Hanoï, où les portes battent et les fenêtres s'ouvrent, la maison de Tours était un roc, fixe, stable, fermé, dans lequel on se réfugiait. Elle s'élevait sur quatre étages, comportait six chambres, un grenier, une salle de billard, une cave à vin… Les enfants y jouaient, dévalant les escaliers, de la cave au grenier. C'était une course verticale. Au Vietnam, tout se passait dans la cour et la piscine, sous le soleil, et la ribambelle était là horizontale. Les gens fuyaient aussi, hors cadre, hors du 501 Kim Ma, lorsqu'ils filaient avec leur Honda, au bureau ou ailleurs. À Tours, le jeune Français travaillait dans son bureau, installé au premier étage de la maison. La seconde H. faisait la cuisine, cousait, et traduisait aussi, dans la maison même. Plus rien n'en sortait. C'était comme un paquebot. Les seules personnes qui y entraient étaient les petites cousines françaises, lesquelles venaient plusieurs fois par semaine, dans la fraîcheur de cette maison de pierre. Soudain, de la ville brouillonne, on passait au confort stable.

La petite fille exilée aima tout de suite ses trois cousines qui furent pour elle son repère en France. Ces cousines, qui avaient habité la baraque, lui faisaient découvrir de nouvelles habitudes. Elles étaient cadrées, scolaires, elles avaient des pulls avec des fermetures éclair, elles connaissaient la ville. La petite fille les regardait. Ici, pas de cris, pas de chaleur, pas d'animaux non plus. Les cousines l'écoutaient raconter combien elle avait de tortues, de poissons, de chats et de chiens au Vietnam. De cette ménagerie, elle avait rapporté en secret, dans son sac à dos, une petite tortue qui tint le coup, le long du voyage, cachée dans une boîte de cookies. Mais la bestiole mourut une semaine après son arrivée en France, où on l'avait placée dans une bassine en plastique. Finalement, ça ne tenait pas. C'était fini, le Vietnam, fini et loin.

La petite fille dut avoir recours à beaucoup d'imagination : elle inventait des histoires sans cesse, des mises en scène sous le soleil. Elle écrivait des petits romans, des pièces de théâtre. Ses trois cousines françaises participaient, actrices en herbe. Elles animaient ainsi la vie d'un peu de spectacles, d'un peu de jeu, d'un peu de cette chaleur de Hanoï. Ce sont les seuls souvenirs doux de la France : ceux des jeux, des fausses étoiles, du soleil d'artifice.

Mais déjà quelque chose mourait en elle : la joie. Elle ne comprenait pas, à dix ans, comment ils avaient pu quitter ce paradis pour finir ici, dans le gris. Elle ne comprenait pas ce que cela signifiait, dire adieu à une famille, à une mère, à un pays – pour se taire, d'un coup. Que dire ? « Où sont-ils, que fait-on là ? » Il n'y avait rien à dire ni à aimer. Elle s'est mise dans ses histoires imaginaires, pour dire, et elle a adopté un nouveau chat français, pour aimer. C'étaient des jouets d'enfant, tout cela. C'étaient des mots pour des maux, d'enfant, tout cela. La petite fille euphorique fit face à une accalmie, aussi bien intérieure qu'extérieure. L'enthousiasme dont elle faisait preuve au 501 rue Kim Ma se déversa entièrement dans son imagination, logé là avec ses souvenirs et ses regrets. Au-dehors, l'enfant faisait figure française et froide, elle se laissait trimbaler dans les rues, dans les heures, dans les pulls et dans trois écoles différentes, changeant chaque année de bâtiment et de camarades, sans broncher, sans ressentir aucune gêne. Rien ne lui appartenait, pas même les sentiments. Rien n'était sien, en France. Il n'y avait que le silence. Cela annonçait la fin d'une prospérité : dans le pays de son corps, ils ne se chauffaient plus qu'à petit feu.

Un petit feu, c'est trop peu, pour un enfant qui n'a plus de nouvelles de son pays, de sa nourrice, de sa grand-mère, de ses amis. Tout le monde était mort à l'instant. À la place, sont venues deux autres tantes françaises, cinq autres cousines. Il y avait une autre histoire, ici, d'autres os, d'autres choses. Ce n'étaient pas les siens. Il n'y avait plus d'autorité ni de chaleur. Il n'y avait personne à qui parler. Il n'y avait plus qu'elle seule, assise sur le banc de son cœur, les lattes froides contre ses jambes pendantes, à attendre. Attendre quoi ? Elle ne le savait pas. Elle ne pensait pas au retour, jamais, subissait cet exil sans espoir, sans penser, enfant qu'elle était. Ce banc avait toujours été là, barrant son cœur, depuis que la seconde sœur H. était tombée enceinte. C'était sa place à elle, la place que le monde lui avait faite, celle qui lui était laissée, celle qu'on lui avait donnée, et elle était en elle, dans elle. Elle s'asseyait là. Elle s'était toujours assise là. Au Vietnam, elle invitait du monde sur ce banc : *Ba* s'accroupissait face à lui, Co Phai se posait à sa droite, quelques amis s'accoudaient derrière... Mais en France, il n'y avait plus que les cousines. Puis, bientôt, plus personne. C'était elle seule sur son banc, à attendre. Et quand on est un enfant, vous savez, et que rien ne vient, vous savez, à force d'attendre, on meurt.

30 décembre 1995, c'était bien pour Hanoï, pour clore l'embargo, pour débouler comme une bombe dans la ville, c'était bien pour ses rues, son amour, sa nourrice – mais dans la France froide, 30 décembre 1995, ce n'était plus rien. Ce bébé apparu accidentellement n'avait plus aucun sens ici.

Champ d'honneur

On était en 2007, le secteur de la grande distribution obtenait l'autorisation de diffuser des spots publicitaires à la télévision, l'Hexagone faisait preuve de bravitude, l'abbé Pierre mourait au Val-de-Grâce, Lucie Aubrac à Issy-les-Moulineaux, le mime Marceau à Cahors, la présidentielle préoccupait, on entendait « Sarko, Sego ! », ça rimait mais ce n'était pas beau, Bertrand Cantat sortait de prison, soulevant la polémique et les souvenirs des sourires de Marie, Julien Gracq nous quittait, Sarkozy succédait à Chirac, on entendait des patronymes, des discours, des accords et désaccords…

Paris, c'est le dernier terrain qu'ils rejoignaient. Très vite, ils quittèrent la Touraine et s'installèrent dans un appartement de la capitale. Cette deuxième petite famille s'évaporait dans son air froid : au revoir les belles-sœurs, les cousines, le soleil artificiel que la petite avait hissé à la force de son imagination. Il fallait tout recommencer. Il fallait rencontrer les nouvelles rues, le nouvel établissement, après avoir changé déjà trois fois de collège en trois ans, il fallait rencontrer de nouvelles têtes encore, qui dépassaient de leur col roulé, il fallait comprendre une nouvelle plaque terrestre sur laquelle poser ses pieds, quand la sienne première s'était effondrée.

Paris fut belle et pleine. Il s'agissait encore de passages cloutés et de feux rouges puis verts. Paris fut étrangère. Paris fut un champ d'honneur.

Troisième guerre

Adolescentes

Tout va vite. Ils font référence à un passé qui n'est pas le tien. Les gens savent, autour de toi, les gens savent même trop bien. Le mime Marceau ? Lucie Aubrac ? Julien Gracq ? Et même Chirac ? La politique française ? Ce n'est pas un décalage d'enfant, c'est un décalage de culture, et tu es prise dans ce réseau qui n'est pas le tien, à douze ans, soudain, et qui n'est pas solaire – le réseau gris d'une France en crise – avec la peine d'une mère morte et d'un pays parti sans qu'autour personne te demande ton avis, tu es là-dedans – sans personne.

La fillette ne sourit plus. Elle est sur son banc et la neige de Paris tombe, assise, les lattes se couvrent de glace. Elle attend que la Terre revienne. Elle ne reviendra peut-être jamais. Voyez, il y a ici, pour elle, comme un air de faiseuse d'anges, quand on en a réchappé…

Je ne vais pas mentir. Puisqu'il n'y avait plus de chaleur ni de jeu, puisque ses efforts d'enfant n'avaient rien empêché, voilà ce qui arriva : la troisième guerre dut commencer. Cette guerre n'était pas extérieure, mais il y avait autant de bombes, d'os et de morts que lors des deux premières. La petite fille est entrée en guerre comme ses aînées, mais elle n'est pas entrée en guerre contre les Japonais, les Français ni les Américains, elle est entrée en guerre contre elle-même, tout simplement. Oui, c'était une guerre civile, entre une part d'elle-même et une autre.

Cela a commencé de la même manière : par des famines et des bombes. Dans son corps, c'étaient des obus de pensées, constamment, qui détruisaient des territoires entiers. Ils atteignaient toutes les zones d'amour, de tendresse, de souvenirs, de paroles. Elle n'avait plus envie de rien dire, ni de rien apprécier. Elle n'avait plus d'envie, en fait. Les projectiles déferlaient pour tout ruiner. C'était un paysage bien triste, bien désert et bien froid. Ses cabanes d'avenir tombaient, leur terre battue d'espoir s'affalait. Il n'y avait plus que l'instant, sans horizon. Or cet instant était un instant de guerre : la première part de son être gueulait au crime, à la mort, au suicide ; la seconde part se cachait la tête dans les bras, pleurait, laissez-nous tranquilles. Le vacarme que c'était... Et puis, je l'ai dit, il y a eu les famines : il n'y avait plus rien à manger. La première bande, violente, s'emparait de tous les vivres pour les brûler. Elle refusait que l'on se nourrisse. Crevez, crevez, elle détournait son regard des sandwichs, des gâteaux, des fromages. Il fallait que la population n'ait plus rien, plus un grain de riz. La seconde bande, fragile, souffrait d'abord, s'habituait ensuite. À la fin, plus personne n'avait faim. Ceux qui hurlaient n'y pensaient pas, trop en colère, ceux qui larmoyaient n'y pensaient plus, trop en peine. Ils avaient autre chose à faire, ils avaient des bombes à contrer, à subir, des zones à défendre ou à laisser tomber. Il n'y avait plus de nourriture aux alentours. Tout était détruit. La petite fille avait quinze ans et cette guerre éclatait : elle était détruite.

Les autres filles de son âge avaient des amies, des petits copains, des amourettes, des ragots, des habits, des parents, des cousins, des frères et sœurs, des ennemis, des racontars, des rires, des loisirs… Elle n'avait rien que sa guerre au creux du ventre. Autour, plus rien n'existait que le froid de la France et le désert d'un souvenir qui s'éloignait, jour après jour. Elle avait quinze ans et l'on voyait sur son visage cette guérilla. Elle maigrissait à vue d'œil, se couvrait de bleus, d'os et de cernes… Ses cheveux ne poussaient plus, ni ses ongles, ni ses rires. La lutte armée avait été déclarée et le combat était si féroce qu'elle mourait. C'était à l'intérieur, personne ne pouvait intervenir, mais tout le monde le voyait. Au lycée, où elle se rendait chaque jour, foulant les trottoirs minces, frôlant les murs gris, les professeurs et les élèves remarquaient son anémie. Les uns la passaient sous silence, les autres la raillaient. Elle venait en classe dans le silence et la tristesse, chaque lundi, mardi, mercredi et jeudi, selon l'emploi du temps, le vendredi aussi, et cela n'avait déjà plus de sens.

Du lycée, je me souviens des tables vides du fond de la classe, des chaises retournées dessus tant on s'en servait peu, de ce coin poussiéreux où je m'étais reléguée, pour fuir les regards, les paroles, la vie des autres. J'écoutais les mots du professeur ou bien je lisais en cachette, sous la table, je dessinais, j'écrivais, j'attendais que ça passe. Dès que les cours se terminaient, je rentrais à la maison, lire encore, dessiner encore, car je ne pouvais prendre part à aucune conversation. Les élèves parlaient d'amours parisiennes, de vie française, riaient d'histoires lycéennes, de rumeurs bonnes et mauvaises... Moi je n'avais rien à répondre ni à entendre, parce qu'il y avait la mort, parce que j'étais seule, parce que l'heure n'était pas à l'amour. Alors, je rentrais – et ma tristesse, auprès de ces gens de quinze ans, était très démodée.

Personne ne pouvait comprendre ce que c'était d'avoir contre sa peau pendant dix ans un pays et une mère, puis de les perdre soudain, sans que rien soit expliqué, sans que rien les remplace. C'était la mort. En coulisses, on commençait à s'inquiéter pour la petite, mais sans lui en toucher mot, à elle. Non, à elle, on ne disait plus rien, comme à quelqu'un dont on a peur, dont on a honte ou dont on se désintéresse. Ils désertèrent tous. La petite fille restait seule avec sa guerre, que l'on trouvait étrange. Elle était un pays enclavé dont la population s'entre-tue sans qu'aucune force puisse l'en empêcher. On a bien essayé de lui envoyer quelques hélicoptères, mais rien à faire, les troupes s'en défendaient. Elle ne parvenait plus, cette guerre dans son ventre, à parler, à rester, à vivre avec les autres. Elle s'éteignait pour tout perdre. Le temps passait, les champs étaient rasés, son cœur battait de plus en plus lentement, son pouls tapait comme les aiguilles d'une montre usée, la force lui manquait, ses soldats faiblissaient, les uns contre les autres, dans cette course vers la mort, elle ne pouvait bientôt plus marcher, plus faire un aller-retour dans Paris ou bien descendre les escaliers du métro, ses genoux la tuaient de douleur, ses os crissaient, c'était fini, ils perdaient la guerre à l'intérieur. Et en première ligne, elle mourait.

Tout est allé très vite. En quelques mois, ta santé s'est dégradée, tu es devenue l'épave de ta guerre. Tu n'avais plus faim de rien, tu ne mangeais plus. Tu ne souriais plus, tu ne riais de rien, enfant effeuillée, fleur fanée. Il fallait voir ton visage alors. Il s'est oublié maintenant, mais comme il hurlait à la mort, squelettique, à la douleur, défiguré. C'était la fin de l'amour. Quiconque te croisait dans la rue pouvait savoir : cette fillette crevait.

Un jour, une vieille dame de quatre-vingts ans, aux cheveux blancs, courbée, ridée, s'est levée dans l'autobus, quand elle a vu la fillette arriver. Elle lui cédait sa place, souriant doucement, tristement : elle lui désignait son siège. La petite secoua la tête face à cette absurdité, mais la vieille dame insistait. Alors, elle s'est assise sur ce strapontin d'autobus, qui cognait contre les os de ses fesses, à lui en faire mal. Elle était un peu foutue, vous savez.

Un autre jour, tandis qu'elle visitait un musée et se tenait debout face à un tableau, la gardienne, soudain, se précipita vers elle. Elle la vit, du bout de la salle, courir à sa rencontre. Elle eut peur : avait-elle dépassé la ligne autorisée, touché le tableau par mégarde, fait quelque erreur ? Elle allait s'excuser quand la gardienne lui prit la main et lui dit, son visage si proche du sien, oui, penché vers elle, ses cheveux frisés touchant sa joue : « Viens, viens, mon ange, il faut que tu sortes, il faut que tu t'assoies. Je t'apporte une chaise sinon, ici, devant le tableau ? » Elle lui tirait la main en même temps. La petite ne comprenait pas. « Ça va ? Ma belle, il faut que tu manges quelque chose, regarde, moi j'ai toujours un McDo sur moi ! » La gardienne ouvre un pan de sa veste et montre un petit hamburger enveloppé et coincé dans sa poche. La fillette rit en voyant ce McDo, effectivement sur elle, on dirait une blague. « Tu le veux ? Tiens, tiens. » La gardienne le lui tend. « Non, non », la petite refuse en rigolant. Alors, la gardienne lui touche la joue et lui dit, fais attention à toi, hein, c'est important la vie, la santé, mon ange, fais attention. La petite avance dans la salle suivante du musée, avec un sourire sur les lèvres encore, parce qu'elle l'a amusée, cette dame, mais plus elle avance, plus elle a envie de pleurer, parce qu'elle l'a fait mourir, cette dame aussi, en la voyant mourante. Les tableaux de la salle suivante n'existent plus, elle a les yeux embués de larmes, et un pied dans la tombe, oui, elle veut bien s'asseoir finalement, et non, arrêtez de croire que, de me montrer que, quoi, oui, je meurs... C'était ainsi. C'était d'une tristesse infinie, parce que cet ange voulait bien regarder les tableaux mais refusait de manger un McDo. C'était aussi absurde que cela. Elle traversait les salles du musée, une par une, et il lui semblait, pour finir, qu'au bout du couloir la mort l'attendait avec sa chaise.

Qui sont ces gens ? Que me veulent-ils ? Pourquoi me dévisagent-ils, me parlent-ils, m'aident-ils ? Où sont les gens que j'aime ? Enfin, où suis-je, France froide, et qui suis-je, corps détruit ? Elle n'avait plus la force d'aller d'une station de bus à la suivante, cela l'étourdissait, lui brisait les jambes, l'essoufflait. Son champ de vision s'était rétréci, elle ne voyait plus que devant elle, les côtés se floutaient. C'était un halo vague, comme un mirage, au loin, et elle entendait mal. Rien ne fonctionnait plus dans cet organisme en guerre. Puis, il y avait le froid – oui, elle se souvient du froid… Elle avait la chair de poule, sans arrêt, les lèvres violettes, en hiver comme en été, sous le vent, sous le soleil, aux îles Baléares même où ils passaient le mois d'août, elle était gelée. En somme, elle ne pouvait plus bouger : ni marcher, ni parler, ni entendre, ni voir, elle avait froid et mal. Les seuls instants où elle ne pensait plus, abritée des obus de réflexion, où elle souffrait moins, loin des fusillades de sentiment, étaient ceux où elle se plongeait dans son bain. Là, elle pouvait rester des heures, recroquevillée dans son liquide amniotique, son corps osseux sous l'eau, son visage même, elle se bouchait le nez et restait des minutes entières, à moitié évanouie. On pouvait frapper à la porte, Line, ouvre, tu es là, on pouvait s'inquiéter, réponds, ouvre, elle était sous l'eau. Enfin, quand elle relevait la tête, inspirait cette respiration dernière et vitale, quand elle sortait du bain, l'étrangère terre revenait sous ses pieds et le froid enveloppait de nouveau son corps seul.

Alors, elle se tenait assise, les jambes serrées l'une contre l'autre, les bras croisés et elle voulait vite crever. Elle attendait. Sur le banc de son cœur, esseulée, elle attendait, et la pluie tombait, le vent se levait, l'amour ne venait jamais, elle attendait, le froid la prenait, la maigreur aussi, la maladie encore, elle attendait, Hanoï était si loin qu'elle était sortie du passé, son futur si compromis qu'il sortait de l'avenir, elle attendait, rien que le présent de son petit moi, sur ce banc, jambes serrées, grelottante, bras croisés, mourante, elle attendait. L'amour ne venait jamais. Elle avait quinze ans, et les bleus en héritage, les os en héritage, la mort en héritage.

Femmes

L'arrivée à Paris, c'était autre chose pour la deuxième sœur H., cette femme venue d'un bunker sous le pont, qui avait connu les sandales dans la neige de Moscou et les casseroles fondues pour cinq dongs six sous. Elle n'était pas complètement perdue cependant, car elle avait déjà essayé de dormir sur un matelas, plus jeune, de manger une pizza, puis elle avait appris le français, avec son mari, elle s'était débrouillée en Touraine, elle avait compris les codes vestimentaires, les usages, elle s'intégrait même franchement vite. La chose étrange, c'était cette petite fille qui explosait d'un coup, grenade dégoupillée, sans qu'on sache pourquoi. On n'avait jamais bien compris ce qui se passait dans son esprit, depuis qu'elle était petite on ne l'avait jamais attendue, on avait du mal à la recevoir, mais elle nous faisait rire, de là d'où elle sortait, de nulle part, avec ses blagues, ses fantaisies, ses grimaces, ses caprices, ses couronnes en toc, ses sucreries de pacotille, ses histoires en stuc et ses yeux qui pétillent. Elle se suffisait, joueuse sur le banc de son cœur, à nous y inviter sans qu'on puisse vraiment rentrer, et elle nous faisait rire, jusqu'à ce qu'elle ne rie plus. Alors, que faire ? Face à cette peine immense et brusque, face à ce visage transformé, ce spectre, que faire ? Que lui arrive-t-il, à cette enfant dont la trajectoire est si soudaine, si douloureuse, si singulière, si dangereuse ? À cette enfant si éloignée, qui se laisse mourir, que dire ? Que comprendre aussi, de tout cela ? Elle leur échappe comme un savon entre les mains, qui faisait de belles bulles sucrées et qui tombe soudain, se fracasse contre le carrelage de la salle de bains, et glisse sans qu'on puisse le rattraper. Quelle étrangeté, peut-être, d'avoir donné la vie sans le vouloir, d'avoir laissé grandir, vu grandir, puis de voir mourir, ne pas vouloir laisser mourir, quelle étrangeté, peut-être, cette enfant qui ne veut plus vivre, s'échappe, se donne la mort contre la vie qu'on lui a donnée.

Cette famille ne pouvait pas se douter, car elle était entre elle, sur la Terre, car elle n'avait pas eu pour ce pays d'enfance l'amour essentiel que la petite fille avait eu. Cette famille sait qu'elle est en France, qu'elle a déménagé, que c'est nouveau, qu'elle va s'adapter. La seconde sœur H. fait des études pour devenir professeure à l'école primaire : elle passe ses journées en formation, à apprendre le français, les mathématiques, les matières scolaires… Elle est envoyée dans des écoles de la région, elle prend le train pour y aller, donne des cours à l'école élémentaire de Blois, ou d'ailleurs. Elle fait les allers-retours matins et soirs, jusqu'à Paris. Ici, rien à voir avec la cabane en terre battue, c'est un appartement dans le 5e arrondissement, des boutiques, des musées, des expositions, des cinémas, des restaurants... Elle est curieuse de tout. Elle s'inscrit à des cours de danse, de sport, elle finit par abandonner son idée d'être maîtresse parce que les trajets sont trop difficiles, lointains. Elle travaille alors pour plusieurs bureaux différents, en tant que traductrice, puis pour la cour d'appel de Paris, comme expert judiciaire. Elle s'éparpille de curiosité. C'était la seconde sœur H. après tout, celle qui était observatrice, intelligente, avec ses cheveux lisses, la curieuse. Elle aime bien aller d'un endroit à un autre, faire ses choses. La première sœur H., l'impétueuse, avec ses cheveux bouclés, a suivi son chemin également : en Pologne, elle a repris le penchant blogueur de sa mère et écrit des pamphlets politiques enflammés dans les journaux. Elle a gardé sa fougue ; elle conduit une grosse voiture dans les rues de Varsovie, avec ses deux fils bien attachés à l'arrière, et elle appuie sur la pédale. Elle a les ongles longs et peints. Elle ne peut plus retourner au Vietnam voir son père et sa troisième sœur H. : l'État lui a interdit de revenir sur le territoire tant ses pamphlets dénoncent le régime et s'opposent à lui. Elle peut pester et foutre un coup de poing sur le volant. Elle s'en fout : elle est d'accord avec ce qu'elle a écrit, elle avait raison de se manifester contre cet État à la chemise dictatoriale. Quoi, on met les blogueurs en prison maintenant ? On interdit quelqu'un de territoire parce qu'il a écrit que vous étiez sacrément cons ? La liberté de la presse, ça ne vous dit rien ? Elle appuie sur le klaxon. Qu'il avance lui, devant, avec son pot de yaourt ! Vous avez dit « fougueuse » ?

La troisième sœur H. restait, elle aussi, fidèle à son caractère. Puisqu'elle était douce et nonchalante, tranquille et flegmatique, contrairement à la première impétueuse et à la seconde curieuse, elle demeurait à Hanoï quand les deux autres déménageaient. Elle continuait à vivre dans cet appartement avec son père, après la mort de sa mère. Elle y élevait sa fille unique, née quelques années après les enfants de ses sœurs. Elle vivait alors avec son mari, l'architecte. Le matin, elle prenait sa mobylette Honda et se rendait au travail, quelques mètres plus loin, dans son bureau. À midi, elle revenait déjeuner avec sa famille, dans l'appartement. Puis elle s'accordait une heure de sieste avant de retourner au travail. Le soir, elle rentrait tôt, préparait à manger, se chamaillait un peu avec son enfant qui refusait de boire l'eau tiède qu'elle lui avait préparée. Enfin, quand cette dernière s'était couchée, la troisième sœur H. terminait sa journée en regardant la télévision ou en apprenant l'anglais.

Les trois sœurs étaient des femmes désormais. Elles vaquaient, chacune dans un pays différent, à leurs différentes occupations. Elles arpentaient les rues de Varsovie, de Paris et de Hanoï, en voiture, à pied ou en scooter – la chevelure bouclée, la chevelure lisse, la chevelure frisottante –, H. H. H. aux trois coins du monde. Elles étaient heureuses, elles n'avaient aucun mauvais souvenir, leur enfance était telle qu'elle avait été, somme toute joyeuse. Maintenant, les deux pans de la vie s'écartaient, tout s'ouvrait à elles, et elles s'étaient dispersées pour vivre chacune l'aventure qui les appelait.

Ce qui restait inimaginable, c'était la petite mourante, la première petite-fille, on ne savait pas trop quoi en faire. On allait prier sainte Rita, la sainte des causes désespérées. On mettait des cierges.

La seconde sœur H. n'avait jamais connu une telle maladie. Elle connaissait les forces extérieures des guerres, mais celles, destructrices et très intimes, qui venaient de l'intérieur de sa propre fille, elle ne les comprenait pas, et elle ne les maîtrisait pas. Qui l'eût pu ? Elle était assez désemparée face à cette enfant mourante. Elle se renseignait auprès de ses sœurs, des sœurs de son mari, pour comprendre. Finalement, on lui conseilla d'avoir recours à l'hôpital. Il fallait bien faire quelque chose.

État d'urgence

C'est inimaginable d'avoir quinze ans dans un pays alors aussi prospère, serein, que la France et de vivre une telle guerre intérieure. C'est inimaginable de se combattre au point d'en crever, d'avoir un visage qui hurle à sa place, *Mayday, Mayday*. Finalement, oui, on lui a envoyé de l'aide : l'hôpital est allé la chercher, avec la même urgence et le même devoir que les forces américaines en Normandie. Les infirmières sont venues sur la plage déserte de son cœur comme les soldats sur celles de Saint-Aubin-sur-Mer. Là où ses cinq familles étaient décédées – sa ville, ses parents, sa nourrice, ses grands-parents, ses amis –, les médecins débarquaient – Sword Beach, Utah Beach, Gold Beach, Juno Beach, Omaha Beach…

Elle était hospitalisée comme une rescapée. Elle n'avait plus conscience d'elle, de ses gestes. Elle allait mourir d'elle-même. Elle était hospitalisée pour qu'on l'aide. Ainsi, ils ont déclaré l'état d'urgence, face à sa guerre. Elle n'avait plus de mères, plus de passé, plus d'amour, plus d'envie. Mais les médecins allaient lui en redonner ? Non.

Ils allaient essayer ? Elle gisait, inconsciente, sur ce lit blanc, à attendre qu'on lui serve un peu d'amour en perfusion.

Infirmières

Une année entière, la petite fille a passé à l'hôpital, le temps de se réconcilier, de revenir non pas en bonne santé, c'était trop loin, mais en vie. La bonne santé, c'était pour plus tard ; ce seraient les tours vitrées que l'on bâtit à Hanoï, les moteurs des BMW, nouvelles et criardes dans les rues du siècle 21, les boutiques luxueuses, la 4G, le téléphone portable, les expressions américaines ponctuant le langage vietnamien – toutes ces modernités, ces constructions, ce « progrès » à la surface d'une ville un peu bordélique, sans feu rouge ni vert, encore un peu arriérée, gueularde et pauvre. Bon, tout cela, ce serait la santé dans son corps, car tout cela signifie énergie et désir. Quand les surfaces défoncées de son être auront repris suffisamment d'engrais et de repos, alors nous pourrons envisager la bonne santé, la construction de quelque chose. Pour l'instant, son corps, c'est Hanoï 1945. Elle a tellement maigri qu'elle ne tient plus debout sur ses deux jambes et son pouls bat lentement, nourri de rien. Sa tension est basse, sa température aussi. Son corps menace de lâcher. Sa tête est déjà partie. L'enfant est une épave, à l'hôpital où l'on décide de la garder pour restaurer tout ce qui a été abîmé. On en prendra soin, ici, assure-t-on. Alors, elle reste ici.

Il y a d'autres enfants comme elle, tristes, malades, en marge, prêts à crever – ceux qui ont pris trop de drogue, ceux qui n'ont rien mangé, ceux qui ont trop mangé, ceux qui se sont suicidés. En vérité, ils ne savent rien que leur douleur. L'hôpital est blanc carrelage, vert vitré, silencieux. Ils évoluent dedans, âmes muettes. Une douceur les y enrobe. Ils sont répartis dans les étages, selon leur peine. Ils sont là pour être aimés. Ce sont des enfants.

« Que se passe-t-il dans cet hôpital ? Peu de chose. Nous y sommes en convalescence, explique la petite fille.

— Le matin, par exemple, que se passe-t-il ?

— Le petit déjeuner, anxiogène dans sa cantine en carrelage. Puis, la visite médicale quotidienne afin de vérifier le pouls, le poids, le cœur, la tension… Ensuite, une ou deux activités de dessin et de discussion.

— Ensuite ?

— Ensuite, le déjeuner revient dans cette même cantine ; une longue sieste écrase l'après-midi ; une dernière activité le boucle ; le dîner revient ; un film clôt la journée ; la nuit est infinie.

— C'est ennuyeux ?

— Non, ce n'est ni monotone ni ennuyeux car l'on ne pense à rien d'autre : nous n'avons de toute façon plus d'envie. Moi, j'attends qu'on me tire par la main le long des heures, des repas et des activités.

C'est chaque jour le même appareillage. Je n'ai envie de rien faire d'autre. Si je faisais autre chose, ce serait lire mes poésies ou mourir. Pour le reste, je ne me porte pas volontaire.

— Tu n'as jamais envie de faire un tour dehors ? Dans les rues de Paris ? Prendre l'air ?

— Ça ne m'intéresse pas de marcher dans la ville, parce que je n'ai rien à y faire, je n'en ai pas la force et l'on m'y dévisage tout le temps, parce que, oui, l'on s'effraie à ma vue comme à celle de la mort. Traîner dans Paris ne m'amuse guère. La seule chose que je fais avec plaisir et sans me sentir observée ni jugée, c'est lire. Dans les romans que je dévore, dans les poésies que je récite, les personnages me laissent en paix. L'auteur me parle, raconte, je regarde, je suis, j'écoute. Et j'oublie un peu mon corps de rescapée. Et personne ne me le rappelle, ne le pointe du doigt, ne le regarde de haut en bas. Il n'y a plus rien à cet instant-là que la littérature et elle me sauve la vie, elle occupe mon temps, elle m'extrait de ma guerre un instant.

— Tu ne t'ennuies donc vraiment pas.

— À l'hôpital ? Non, je ne m'ennuie pas, je lis. C'est vrai, parfois, cela manque d'air : l'espace est toujours le même, on voudrait voir du pays… Mais on sait trop bien que l'on en serait incapable : dehors, l'on aurait mal, peur, froid, on se casserait. Alors, voir du pays n'est qu'un rêve lointain, les salles aseptisées nous suffisent. Nous y sommes soignées comme des enfants sans volonté, sans pouvoir, sans moyen. Nous y sommes nourries, blanchies, logées. Mais l'ennui, non. Enfin, si l'on ressentait de l'ennui, ce serait l'ennui de la mort. Tu vois ? On s'ennuie comme un mort, c'est-à-dire, on ne ressent rien, on ne veut rien, on est mort. Est-ce de l'ennui ? »

À son étage, il n'y a que des filles. Elles ont entre douze et dix-huit ans. Elles sont maigres et se laissent embarquer, débarquer, le long d'un fleuve incertain. Les infirmières soutiennent chacun de leurs mouvements. Sur ce fleuve, leur radeau de jeunes filles tangue et leurs os s'entrechoquent. Le moindre remous menace de jeter une demoiselle par-dessus bord. Elles ne pèsent tellement rien.

Alors, c'est ainsi. À l'instant, elle n'existe pas. C'est une ombre mouvante, sans corps, sans voix, sans envie, sans vie. C'est trop facile de ne pas jouer : il suffisait de se débrancher. C'est trop facile de mourir : nous tenons à si peu, si peu… « Mesdemoiselles, vous êtes prêtes ? Tout le monde est là ? Comment ça va aujourd'hui ? » Il y a d'autres corps flottants autour d'elle ; ils sont plusieurs à se traîner ainsi, les yeux hagards, hochant la tête, sans savoir. Qu'est-ce qu'on fout là ? Pas là, dans cette pièce, mais là même, en vie ? Prêtes pour quoi ? Non, nous ne sommes pas prêtes, à rien. Et pourtant… Nous ne sommes pas mortes. Assises dans cette salle d'attente, elles ne sont pas mortes, c'est certain – mais elles ne sont pas vivantes non plus, c'est certain aussi.

Un grésillement de roulettes raclées contre le sol réveille les esprits embrumés. C'est l'infirmier qui arrive avec son chariot, ses tuyaux, son tensiomètre, son stéthoscope, ses aiguilles, ses trucs, ses perfusions. Ça sent déjà le produit de vaccin : quelques âmes serrent les mâchoires de crainte. « Bonjour, mesdemoiselles ! Ça va ? Alors, on commence par qui ? Allez, toi, t'es la première. » On dirait des pouliches malades. Elles sont toutes fantomatiques, épuisées, apeurées. Elles sont les unes à la suite des autres. Elles souffrent mais elles tiennent le coup ; elles se font mal et elles n'ont pas mal. Elles veulent mourir vivantes, elles veulent vivre mortes.

« Bon, tu es la dernière à y passer. Allez, donne-moi ton bras, ma chérie. » La fille assise sur le dernier fauteuil rechigne à tendre sa main. Il la lui prend de force. Elle lâche. Il enserre le tensiomètre autour de son avant-bras, le scratch, et appuie sur sa pompe, une fois, deux, trois, cinq, dix, à n'en plus finir, on ne voit même plus le membre, avalé par son coussin gonflé, bleu. Finalement, l'infirmier cesse de presser. Il regarde le résultat. Il hausse les sourcils. « Dis donc ! » Puis il relâche. « C'est bon, j'ai terminé. Merci, les filles. Faites attention ! » Il s'en va : les roulettes raclent le couloir dans l'autre sens. Les filles respirent enfin. Elles ont eu peur, elles se regardent du coin de l'œil, ou pas, pouliches rassérénées quand le palefrenier quitte leur box.

Elles passent leurs journées ainsi, à les voir défiler, à se défiler elles-mêmes, et à défiler dans les couloirs, d'une activité à l'autre, d'une visite médicale à l'autre, jusqu'au salon de repos où elles s'échouent. Cette pièce centrale est l'endroit où elles se retrouvent toujours, leur zone pour ainsi dire. Les infirmières ne les dérangent pas alors. Elles restent entre elles et peuvent parler. Certaines n'ont même plus la force de bouger les lèvres et se terrent dans un silence de glace. D'autres parlent vite, fort et n'importe comment, avec des mots qui ne font pas sens, qui se rentrent dedans, se cognent, affirmation contre négation, joie contre tristesse, adjectifs et adverbes de chaque clan, l'un contre l'autre, tout ça dans leur jolie petite bouche maigre, parce qu'en vérité, elles sont paumées, elles ne savent pas, elles croient affirmer mais elles se laissent mourir. Ce sont des mots de travers. En fait, dans ce salon, elles se serrent les unes contre les autres. Certaines lisent, certaines font des devoirs, des révisions, elles sont studieuses et elles s'endorment, l'une sur l'épaule de l'autre, parfois un baiser peut s'échapper sur un front ou une caresse sur une chevelure. Au fond, elles se comprennent assez. Mais elles ne peuvent rien faire. Il y a une prévention contre l'amitié des pouliches : les infirmières les prennent à part, quelquefois, et demandent si elles sont très amies, préviennent qu'il ne faut pas trop l'être, pour ne pas accumuler les tristesses, pour ne pas se tirer vers le bas.

Un jour où j'avais eu une permission pour une sortie longue, j'avais envoyé une lettre à une camarade de l'hôpital qui allait très mal, me disait-on. J'étais inquiète car c'était l'une des âmes les plus artistes et les plus sensibles que je connaissais là-bas. J'avais donc posté une lettre à son nom, pleine de dessins, de mots doux et d'encouragements. Mon amie avait répondu. Nous avions commencé une brève correspondance. Puis une infirmière était venue me voir pour me mettre en garde : il fallait décrocher de l'hôpital ; il fallait s'aimer de loin, s'aimer comme des malades, ne pas trop se connaître. Il ne fallait pas aimer de si près, car c'était mauvais pour la santé, deux malades, deux morts qui s'aiment, c'était mauvais. J'ai compris. J'ai compris et j'ai mis l'amour en quarantaine, de la même manière que le corps et la vie étaient en quarantaine. C'était ainsi, l'hôpital.

Parents

Dans les limbes, seuls les enfants vivent, qui traversent les couloirs jour et nuit, robe blanche ombre noire, hôpital dur mur froid, fantômes à roulettes. On les distingue mal, ces anges au corps transparent dont la chemise est déchirée seulement par l'os d'un coude saillant. Est-ce le début ? Est-ce la fin ? Les bas de chemises traînent au sol, s'usent, se défilent. La plante des pieds se glace au contact du carrelage. On entend le coton frotter par terre, le pied taper, à chaque pas, tap, tap. Quelqu'un marche. Il n'y a plus de bras pour les enserrer ici ; c'est trop tard ; ils sont des ombres que l'amour n'enserre plus. Personne ne vous portera contre son cœur ici. Il n'y a plus que les médicaments et les perfusions, oui, il ne reste plus que cela pour vous embrasser. C'est bien. Ensuite, il y a les permissions.

La journée, des parents peuvent venir. Ils ne marchent pas du tout de la même manière dans l'hôpital. Les uns glissent dans cet espace silencieux, les autres avancent lourdement et font, avec leurs chaussures à talons, leur discussion inquiète, leur sac à main, leurs clés de voiture, leur vie en somme, le seul vacarme audible. « Non mais tu te rends compte… Chéri, où es-tu… C'était quelle salle déjà ? Quel étage ? Attends… Écoute, c'est le médecin qui l'a dit, ce n'est pas moi ! Non mais on fait comme il dit, on suit l'ordonnance… Tu as eu des nouvelles ? Putain, j'ai oublié ma carte en bas, je redescends… Mon amour, je suis morte d'inquiétude… Tais-toi ! Tu ne me parles pas comme ça. Écoute… Ça fait trois mois qu'on ne s'est pas vus, on ne va pas commencer à se disputer… Ça ne marche pas… Ouvre ! Ça ne marche pas, je te dis… Mais tire ! Pousse ! On est en retard, oh, pardon madame ! » Voilà ce qu'ils disent, et, des limbes, les fantômes écoutent ça, émerveillés, parce que d'une exclamation, une seule, d'un rire, d'une inquiétude, d'un dialogue, ils ne sont plus capables. Ils n'ont plus de sentiment, plus d'éclat de voix, ils sont anesthésiés. Dire « Putain, j'ai oublié ma carte en bas » leur paraît enviable car il y a la vie dans cette phrase. Eux, ils n'ont pas de carte, ils n'ont pas de bas, et ils n'ont aucune putain. Rien ne les titille, de la vie quotidienne. Ils sont endormis de douleur.

Alors, les parents qui passent, c'est quelque chose. Il y en a de toute sorte : les divorcés, les affolés, les énervés, les désemparés, les réconciliés, les doux, les pleureurs, les optimistes, les parents… Ils sont là pour avoir des nouvelles de leur enfant. Ils sont colorés, chemise corail, jean bleu, veste verte, tailleur parme, foulard turquoise, parapluie cassis, chaussures blanches. Ils sont de la ville, de la vie, ils ont encore sur eux une odeur de métro, de voiture, de moto, ils ont un parfum de pluie, de vent, de bruit, ils sont vivants mais ils sont désemparés face à la mort d'une vie qu'ils ont donnée. Ils sont comme des fleurs, de différentes teintes, de différentes formes : les négligés, les chic, les rustres, les maniérés, les très simples, les beaucoup trop, les pas assez, les juste parfaits... Ils sont assis dans la salle d'attente. Ils se regardent les uns les autres, l'air de dire, toi aussi, quelle douleur n'est-ce pas, quel enfer, le tien, oui, le mien, bon... Mais ils ne se parlent pas, par discrétion, par politesse, par désarroi. Puis le médecin sort de son bureau, tête à lunettes sur blouse blanche, il ne passe qu'un pied dehors et dit : « Madame Machin ? Veuillez me suivre. » Il fait le crochet avec son doigt deux fois, vers lui. Le parent se lève, agrippe son sac à main de ses dix doigts moites, fait du bruit avec ses talons tremblants sur le sol, ses clés contre le sac qui clinquent, et entre dans le bureau, la porte se referme.

Quand les parents s'en vont, les enfants peuvent les voir, de la grande vitre à l'étage, regagner leur véhicule ou tourner au coin de la rue. Les anges voient ces silhouettes colorées marcher dans la rue qu'eux ne connaissent plus, ils les voient partir. Ils sont parfois tristes, parfois en colère. Ils ne savent souvent pas ce qu'ils ressentent. Ils sont les messagers essentiels, premiers, d'un message qu'ils ne connaissent plus, qu'ils ont oublié. Alors, ils attendent sans savoir.

Le jeune Français et la seconde H. n'avaient jamais imaginé se retrouver là un jour, côte à côte dans une salle d'attente au sous-sol d'un hôpital afin d'avoir des nouvelles de leur fille malade. Ils n'avaient jamais imaginé que cette enfant risquerait de mourir avant eux. Ils se demandent à présent, main dans la main, s'ils ont raté quelque chose, s'ils ont laissé échapper une cause… « Monsieur, Madame », on les appelle dans le bureau. Ils se lèvent et avancent droit vers le verdict que l'on tiendra sur leur petite. Désormais, ils ne sont plus maîtres d'elle. L'ont-ils jamais été ? Désormais, quelqu'un d'autre se prononcera sur leur bébé. Elle ne leur appartient plus ; son avenir n'est plus entre leurs mains.

Dans son bureau, le médecin fronce les sourcils, l'air préoccupé. Il a les coudes sur la table, les mains jointes et, posé sur elles, son menton. Ses lunettes glissent sur son nez. Ses yeux sont cachés par le reflet en croissant de lune que la lampe pose sur chacun de ses verres. En face de lui, qui essaient de percevoir ses pupilles, dissimulées derrière les petites lunes lumineuses, les parents sont penchés sur la table. Ils ont le dos tendu, l'air inquiet, les cuisses serrées et, coincées entre elles, leurs mains moites. Ils posent une question.

— Elle ne grandira plus ? C'est fini, pour ses os ?

Le médecin acquiesce. Non, elle ne grandira plus. Sa croissance est arrêtée nette. Elle restera avec ce corps d'enfant, les os sont calcifiés, ils ne pousseront plus. Derrière les lunettes, on ne sait pas si c'est une larme qui brille ou simplement le reflet d'une lumière. Les parents, eux, retiennent un sanglot. Mais elle devait grandir encore, elle devait atteindre le mètre soixante-dix, elle ne va… Enfin, elle ne va pas faire cette taille toute sa vie ? Elle a quinze ans, sa croissance n'est même pas finie… Je suis désolé, dit le médecin, les os sont comme traumatisés. Ils ne peuvent plus croître… Les parents serrent un peu plus les cuisses contre leurs mains. Après un temps, ils demandent encore :

« Et les enfants ? Elle ne pourra plus tomber enceinte, pas avoir d'enfant ? C'est fini, pour ses eaux ? »

Le médecin le craint bien, oui. Il sait : après ces maladies-là, souvent, on ne pense plus à « la stérilité ». C'est fini pour les os et les eaux. Elle ne grandira plus, elle ne pourra plus avoir d'enfant. Petite comme ça, elle restera.

Mais vivra-t-elle au moins ? C'est la dernière question que l'on a envie de poser, puisque tout le reste est fini, puisqu'il n'y aura plus d'enfant, puisqu'il n'y aura plus de croissance, vivra-t-elle au moins ? C'est la question que l'on veut poser en hurlant, d'une manière désespérée, c'est le médecin que l'on a envie de saisir par le col, de secouer, que ses lunettes en tombent : vivra-t-elle ?! Il ne le sait pas… Lâchez-moi, enfin… Je ne sais pas.

Un moment passe. Il ramasse ses verres tombés, peut-être cassés, il les replace d'une manière bancale sur son nez, puis, une dernière fois, la question coupe le silence, en une toute fine tranche. Vivra-t-elle ? Posée comme cela, doucement, si doucement… Plus personne n'a de force. Et l'on ne sait pas quoi répondre. Personne ne le sait. Vivra-t-elle ? Personne n'en est la cause. Personne n'a la solution et personne ne peut se saisir de la source. C'est une gamine, maintenant, qui ne grandira plus, qui n'aura pas d'enfant, qui est debout seule sur terre, sans passé, sans futur, sans vie, cassée et qu'on ne peut pas sauver. C'est une gamine, un solfège sans musique, qui doit se sauver sans raison, qui doit rester parce qu'elle est. Expliquez-lui cela ? Donnez-lui envie ?

Le père voudrait savoir, voudrait pouvoir. Il ne sait pas, il ne peut pas. Ce n'est pas lui qui meurt. Cette fois-ci, rien ne dépend de lui. Ce qui arrive à sa fille, ce qui lui glisse entre les doigts, est indépendant de lui. Il n'a aucune prise sur la situation et la personne qui agonise lentement près de lui n'a plus un visage de petite fille, n'a plus un visage de métisse, ni jolie, ni joufflue, ni souriante, ni aucunement expressive d'ailleurs. La personne à côté de lui, qui devrait être sa fille, est la grande Faucheuse même : un squelette qui vogue de manière molle mais hâtive sur les flots du fleuve mortel. Il ne peut rien. Il ne sait plus. Maintenant, il est écroulé sur ses genoux maigres comme une masse alarmée et en larmes, sur le corps de sa petite fille. Elle ne bouge pas, osseuse sous lui, il sent simplement une main lui tapoter l'épaule. La voix de la gamine dit : « Ça va aller. » La phrase n'est pas rassurante. Dans quel sens est-ce que ça va aller ? Avec ce fleuve qui coule trop vite, avec cette main qui tapote comme un tas d'os et cette voix dont le parfum froid est déjà celui du passé, dis-moi, toi qui me rassures, toi qui me touches l'épaule, me consoles alors que tu es la cause même de ma peine, toi la mort, dis-moi, dans quel sens est-ce que tu vas aller, est-ce que ça va aller ?

Enfants

Qu'ont-elles vécu ? Qu'ont-elles vu ? Qu'ont-elles perdu pour vouloir continuer à perdre tant ? Il fallait avoir été déjà si défaite pour entreprendre de défaire encore. C'est moi qui vais finir le travail, voilà ce que veulent dire les os qu'elles ont sur la peau, c'est moi qui vais achever le boulot. Qui l'a amorcé, comment, pourquoi ? Elles ont quinze ans, dix-sept ans, elles ont l'âge de devenir bientôt des femmes et ce sont des enfants parce qu'elles avancent à reculons, pour expirer en arrière, d'où elles sont venues, pour effacer ce qu'il y a là, derrière. Elles sont assises, squelettes de gamines, et ça veut dire, j'arrête, je ne continue plus le chemin que l'on m'a tracé. C'est fini. Personne ne parle, personne ne sait, personne ne veut. Derrière ces ossements, personne n'existe.

Des enfants ? Oui, c'est ce que je vois dans cet hôpital, des enfants qui ne veulent pas faire ce qu'on leur dit, qui refusent de manger à table, et ce n'est pas une question de régime ni de goût, c'est une question de vie ou de mort. Il y a une cantine où elles dînent et déjeunent. Des infirmières doivent passer derrière constamment pour forcer l'une à mâcher, l'autre à avaler. C'est idiot ? Non, c'est logique. Elles ont tout perdu, exprès, parce qu'elles avaient déjà tout perdu, et qu'il fallait, après avoir laissé la vie, rejoindre l'autre extrémité, la mort. Dans l'entre-deux où elles se trouvent, ce sont elles qui travaillent. Alors, c'est logique, elles ne veulent pas manger. Elles ne veulent pas vivre, c'était dit pourtant sur leur visage, sur leur corps, sur leurs os. Quelqu'un, quelque chose les a tuées. Alors, pourquoi de la bouffe, maintenant ? C'est vulgaire. Face à la douleur, ta purée et ton steak, c'est vulgaire. La douleur est si énorme, si noble, si essentielle, elle est inévitable et criminelle. Alors, qu'est-ce que signifie un poulet, une barre chocolatée ? Quasiment un affront, contre la peine, et un obstacle aussi, contre le travail de destruction. Dans le plateau qu'elles refusent de terminer, ce n'est pas un plat et un dessert qui sont représentés, c'est la vie et la mort. Il ne s'agit pas de dîner ou de ne pas dîner, il s'agit d'une question cruciale : vivre ou mourir ? Nourriture ou mort ?

Elles ne savent pas. C'est pour cela qu'elles sont dans les limbes, parce qu'elles n'ont pas encore choisi. Le verdict pourrait dépendre d'elles-mêmes. Dans cet hôpital, personne ne sait, ni les enfantines souffrantes ni les infirmières, si l'on va s'en sortir ou pas, et surtout, personne ne sait ce qui le déterminera : toi-même ? C'est la grande question. Et la solution tiendrait dans ce plateau ? Mais oui, c'est cela le plus terrible, mais oui, dans ce plateau tu peux choisir la vie.

Et je repense à ce cochon égorgé sous la table par des infirmières si festives qu'elles en oubliaient les pots d'urine, actes de naissances à venir. Bon appétit.

Si je reviens au Vietnam aujourd'hui, à vingt-trois ans, c'est bien pour en finir doucement avec ce visage de mes seize ans. J'écris et voyage pour lui répondre. Ce n'est pas seulement pour moi, mais aussi pour l'histoire d'une famille qui ne peut se construire davantage sur des crevasses et des fractures – comme toutes les histoires, de toutes les familles. Je reviens afin de comprendre pourquoi ce bébé 396 devait mourir, et non le bébé 395 ni le 397. Pourquoi est-ce que tu t'es cassé la gueule, petite fille ? Et pourquoi est-ce que tu n'y es pas restée ? Pour quelles raisons as-tu eu le courage de revenir, cette nuit-là, de ne pas mourir ?

Oui, je parle de cette nuit durant laquelle tu es descendue si bas, alors… Et dire si bas, c'est signifier la frontière. Tu l'as touchée, cette douane de la mort. Tu t'en souviens : c'était une nuit durant laquelle tu étais malade, malgré toi, une gastro-entérite ou une indigestion, un de ces sales virus qui font vomir. Tu avais la nausée ; tu t'es levée dans le noir, la gerbe au bord de tes lèvres, ce goût en gorge, il fallait vomir, ça te remontait, là-dedans, ça devait sortir. Chancelante, tu es allée jusqu'aux toilettes, as fermé la porte et posé tes genoux maigres contre le sol. Tu t'es recroquevillée sur la cuvette, tes os craquaient contre le carrelage, tu avais mal à tes jambes nues, et tu avais la nausée. L'eau des toilettes attendait, immobile, dans son trou comme un lac de soufre ou de poix bouillante. Tu allais vomir, tu étais malade – et tu n'avais rien à vomir, tu avais déjà tout perdu, tu étais finie, de taille, d'estomac, de poids, de chair, de corps, finie. Tu avais la nausée, il fallait vomir ; et si tu vomissais, c'en était fait, tu mourrais. Tu te souviens. Je me souviens. Je n'oublie pas ton visage, mon visage émacié, la manière dont tu es morte, dont je suis morte, dont nous nous sommes tenu la main toutes les deux, au-dessus de ces chiottes, toi la petite fille déchirée, prête à crever, moi qui ferais tout pour guérir.

Et cette nuit-là, sur les chiottes, je m'en souviendrai toute ma vie. Je n'avais plus de souffle dans les poumons, plus de battement dans le cœur, ni de peau sur les côtes, plus rien… Si je vomissais, à l'instant, je mourrais, sur cette cuvette. Et une part de mon corps m'enjoignait, vomis, vomis puisque tu as la nausée ! L'autre partie de mon corps répondait, je ne peux pas, tu sais bien, si je gerbe maintenant, c'est foutu, je meurs. Je meurs. Au fond de ces chiottes, je vais crever maintenant, parce que mon cœur bat trop fort, parce que mes poumons sont coincés contre cet estomac, coincés contre cette envie de vomir, et je vais mourir, ça déconne trop à l'intérieur, et ce n'est pas moi, pas moi qui le veux… Je ne veux pas mourir.

Je parvins à déployer mon bras pour tirer la chasse, pour brouiller un peu les idées et le temps… L'eau des toilettes a fait un grand cycle, un brouhaha, je la voyais, l'eau, si je vomis, je meurs. Une heure a passé. Je n'ai rien craché. J'ai avalé ma peine, respiré ma peine. L'estomac est descendu en bas, les poumons aussi, l'air est revenu. L'eau des toilettes est restée propre. J'ai respiré encore. Mes genoux étaient bleus maintenant, d'être restés contre le sol trop longtemps, bleus, violets. Mais je respirais, ce filet d'air, soupir de sainte, cri de fée, ce filet d'air… Je suis retournée me coucher dans ma chambre. Je n'étais pas morte ; mais la frontière, je m'en souviendrai toujours, mes yeux qui roulent, dans le noir, dans le vague, mes yeux qui se voient déjà trépasser dans cette eau trouble, l'eau des chiottes.

Cette nuit-là, petite fille, tu t'es accoudée au guichet de la mort et celle qui donnait les tickets t'a regardée droit dans les yeux. « Vous en prenez un ? » Tu as hésité. Tu as demandé s'il n'y avait pas un aller-retour, si c'était remboursé ? La dame t'a toisée. « Aller simple. » Elle t'en a tendu un, l'air de dire, vu ta gueule, vas-y, saute, l'heure a sonné. Mais voyez, la petite hésitait, il était toujours temps de revenir en arrière. Elle jetait un regard par-dessus son épaule : le fleuve coulait vers elles, d'amont en aval, son flot se versait sur elles, brouillé de remous, de bleu sombre et de noir clair, mousse et mort que le fracas, à leurs pieds, signait. Il fallait tout remonter ou bien prendre ce fichu ticket. Et elle était maigre, et elle était petite, et elle était seule.

Bien sûr, tu es désolée d'avoir tout détruit en te détruisant, tu es désolée d'avoir détruit l'amitié, la famille, l'amour, d'avoir fait pleurer autour de toi, tu es désolée mais tu étais trop morte déjà pour rien pouvoir sauver. Tout recommencera, n'est-ce pas ? Tout guérira ? C'était la question que tes yeux, derniers vivants, posaient sur ton corps maigre.

Familles

L'appartement dans lequel vivaient désormais le jeune Français et la seconde sœur H. était au premier étage d'un immeuble moderne, sans caractère particulier, avec des fonctionnalités – ascenseur, lumière automatique sur le palier, garage au sous-sol, caves de rangement. C'était une habitation propre et pratique, logeant une dizaine d'autres familles. Leur appartement lui-même se découpait en un salon central et un long couloir qui desservait sept petites pièces. Il tranchait avec la demeure bourgeoise de Touraine, ses tapis, ses moulures, ses nombreux étages, son grenier à poutres… Il différait aussi de la résidence du 501 Kim Ma : plus de jardin, de verdure, de lacs, d'animaux errants, d'enfants dispersés entre les maisonnettes. Non, à Paris, les piaules étaient distribuées à la verticale. On se logeait à un étage, entre quatre murs, vue sur la rue. Cette distribution isolait les habitants qui ne laissaient plus leur porte ouverte. Au Vietnam, personne ne fermait sa maison à clé. Les portes étaient battantes : on pouvait entrer sur la pointe des pieds, demander « Mon ami est-il là ? », et se faire servir un thé. Il n'y avait rien à voler, rien à craindre. On s'invitait les uns chez les autres. À Tours, ce système avait été perpétué avec les cousines : elles venaient sans crier gare, c'était comme chez elles, après tout, elles y avaient vécu avant, un an. Mais à Paris, l'appartement se referma sur lui-même. Il fallait un digicode à l'entrée, puis un deuxième, un interphone, un ascenseur, un palier, une sonnette… Chacun rentrait chez soi. On ne traînait plus, à passer le nez chez le voisin. C'était impossible. Il fallait convenir d'une date, le planning était serré : dînons le mardi 21 ? Non, j'ai un rendez-vous… Ah oui, le jeudi 23 alors, ça te va ? D'accord, dans deux semaines, c'est noté, tu m'enverras l'adresse et le code. On n'entendait plus les gens que par téléphone. Les vraies voix, celles qui éclatent dans la rue, celles qui crient au bas de vos fenêtres, « Line, t'es où ? Rachel et moi allons à la piscine ! Louis est au manège avec Henry ! », ces voix enfantines qui se perdaient dans l'air de chez nous avaient disparu. Elles s'isolaient désormais, grésillantes, au téléphone, uniques au bout d'une ligne qui allait pêcher où, je ne sais pas, loin, et qui coupait souvent. « Pardon, je n'ai plus de réseau. »

Voilà comment les surfaces et la diversité des voix ont diminué chaque fois, de Hanoï à Tours à Paris. L'espace s'est resserré sur lui-même, les visages ont disparu, la végétation s'est effeuillée. De la verte Hanoï, avec son lac au bout du jardin, il ne restait plus, à Tours, qu'un cerisier, une parcelle de gazon et deux buissons. À Paris, l'appartement était sec, avec un parquet étanche, jamais altéré par les saisons. Il n'y eut plus d'animaux ici, ni de cousines, ni de nourrice. Les chambres rétrécissaient aussi : le lit deux places, puis une place et demie, finissait en lit une place. Les murs autour, blancs et carrés, se rapprochaient de lui. Je me souviens du jour où l'on m'a montré ma chambre à Paris. « Ça te plaît ? » J'avais grimacé. Pour moi, amoureuse des grands espaces, c'était une cage. Nous avions été habitués à la crasse de Hanoï, à courir dans ses rues. Nous avions été habitués à certains visages aussi, que l'on ne voyait plus.

Ce couloir long et sombre, qui desservait sept pièces comme une ligne de métro dessert sept stations, nous l'empruntions tous les quatre. Ma mère descendait à la première – sa chambre –, mon père à la seconde – son bureau –, mon frère à la troisième – sa chambre –, et moi à la dernière – la mienne. En face, les salles de bains et toilettes. Ces stations nous étaient communes. Les premières nous étaient personnelles : l'un n'allait jamais dans la pièce de l'autre. Ça s'était trouvé comme ça, bêtement. Chacun avait sa piaule. Le jeune Français défendait à ses enfants et à sa femme de le déranger pendant son travail. Il en avait beaucoup. Il passait ses journées à écrire dans son bureau, non à l'étage de la maison cette fois, ni à l'extérieur de la résidence, mais dans l'appartement même, à la deuxième station de ce couloir. La seconde H. avait sa chambre, où elle travaillait aussi. Et les enfants avaient la leur, qu'ils interdisaient à quiconque de transgresser, comme souvent les enfants à cet âge-là. Le couloir au milieu était obscur.

Je me rappelle ce couloir avec angoisse car c'est lui que j'empruntais chaque jour, lors de ma dépression, de mon anorexie, de mes permissions, de mes sorties… Lorsque je rendais visite à la seconde H. et au jeune Français, je passais par ce couloir dont les murs étaient aussi blancs que ceux de l'hôpital. Mon père comprit bien vite mon sentiment et décida de repeindre les sept portes de sept couleurs différentes, pour égayer le trajet de ce métro devenu tragique. Il a peint une porte en rose, une en bleu, une en vert, une en jaune… Il était prêt à tout. L'effet nous amusa bien quelques semaines, mais la situation restait la même. Sa fille était triste, malade et, dans sa petite chambre carrée, tout au bout du couloir, elle était comme dans une cage. Elle se tapait le front contre les murs, contre les miroirs aussi, le crâne violemment contre leur vitre et ils oscillaient, au bord de craquer. Personne ne savait plus quoi faire.

Quand elle revenait à la maison, elle ramenait avec elle le parfum de sa détresse. Celui-ci, diffusé dans tout le couloir, et sous sa porte, se mêlait au fracas de ses cognements. On redoutait sa venue maintenant. On savait que son arrivée dans l'appartement signifiait aussi l'arrivée de la Faucheuse, avec elle. La fille ne venait jamais seule : elle était toujours accompagnée. Ensemble, elles se traînaient de pièce en pièce, pleuraient sur le canapé, stagnaient sur une chaise, immobiles, ou partageaient le repas familial… Elles faisaient peur à voir. Le jeune Français, la seconde H. et leur fils de Blois, d'avril 1994, ne savaient plus comment réagir. Ils se sentaient eux-mêmes menacés, plombés. Leurs encouragements s'échouaient contre un mur de fer. Leur humour, leurs sourires ne servaient à rien. Leur colère non plus. Il n'y avait rien à faire.

Sans doute lui en ont-ils voulu alors, d'avoir fait une place à cette dame sur leur canapé, dans leur salon, à leur table et dans leur chambre. En sa présence, l'appartement lui-même semblait baisser les bras et les épaules, écroulé sous l'odeur de la tristesse. Elle n'en partait plus, après : leur maison entière sentait la mort. Cette dernière avait les clés de l'appartement, venait avec la petite, avant elle, après elle… Sa seule présence posait des questions aux trois résidents. Ils ne pouvaient plus parler : la gêne, face au corps détruit de leur enfant, était si grande qu'aucune parole ne la dissipait. Le frère même ne pouvait plus comprendre sa sœur ni la serrer dans ses bras : personne ne parvenait à la toucher. La petite fille était inatteignable. Tout était empêché : ses relations avec d'autres vivants, son amour pour la vie, sa joie, les discussions avec ses amis, ses parents, le lien qui l'unissait à son frère… Plus rien ne pouvait exister.

L'impuissance et l'incompréhension des parents, du frère, grandissaient à mesure que la fillette crevait. La mère ne comprenait pas tous les termes prononcés par les médecins. Il arrivait des maux étrangers à sa fille. Ça l'agaçait. Le père s'enfermait dans son bureau : son travail lui était une échappatoire et un devoir. Quant au frère, il ne savait plus où se mettre, quel parti ni quelle place prendre. C'était un adolescent, innocent, il n'avait que seize ou dix-sept ans. Il s'acharna au travail lui aussi, et obtint à l'école des résultats brillants. Mais face à la sœur, non, rien à faire… Ils étaient impuissants.

Cette incapacité à agir et à comprendre les paralysait, les peinait, les ennuyait. Ils pouvaient encore parler entre eux trois, se demander que faire, pourquoi, réagir, dire je n'en peux plus, elle me tue moi aussi, je ne la comprends pas, pourquoi fait-elle cela, pourquoi ? Mais dès que la fillette venait avec sa maîtresse au bras, le silence séparait les gens. Ils ne pouvaient plus dire « pourquoi ? ». Si, un jour, ils se prononçaient, la petite se mettait à verser un torrent de larmes. On ne pouvait rien lui conseiller ni lui donner. Finalement, ils n'avaient qu'une envie, que la fille s'en aille, puisqu'elle ne pouvait pas guérir, car son mal était contagieux, sa guerre destructrice, et l'on ne peut rien pour un pays en guerre civile. Y poser un pied, c'était recevoir une bombe. Il fallait qu'elle reparte, seule avec la mort.

Cette dernière a été, en l'adolescence de la fille, sa première relation, sa première fois, son plus grand amour, le plus douloureux, le plus passionnel, le plus destructeur. Elle a été son temps, son angoisse, sa menace... Entre le Vietnam et la France, entre l'enfant qu'elle était et la femme qu'elle allait devenir, entre les accidents et les choix, la mort se tenait debout, noire, opaque, inesquivable. Elle était son parfum, sa liaison secrète, son bourreau, sa raison de ne plus être.

Amies

2012, Poutine est président, Hollande aussi, et Mohamed Morsi. On voit dans le ciel plusieurs éclipses solaires et lunaires. Les Jeux olympiques ont lieu à Londres et Akihiko Hoshide, dans l'espace, lance la mode du selfie. Les États-Unis sont frappés par Sandy. Armstrong, Niemeyer, Marker, Houston, Tàpies et Summer partent pour le paradis.

Alors, pourquoi est-ce que je n'arrive pas à me figurer un visage quand je prononce ce mot si commun aux autres, si facile aux autres : « maman » ? Pourquoi suis-je née si seule, pourquoi ai-je grandi si seule ? Je sais bien, il y a eu les guerres et les langues étrangères, l'exil, la classe sociale, les habitudes, les combats, mais pourquoi ai-je tellement dû souffrir de vos guerres quand je n'y étais pas ? J'avais quinze ans. Les autres avaient vue sur mer, et moi je n'avais vue que sur mort. J'avais vue sur les platanes qui bordaient l'hôpital, plantés sur leur trottoir gris, foulé par des inconnus. La neige couvrait les branches des platanes nus, puis le soleil qui la faisait fondre les couvrait de boutons nouveaux et de feuilles printanières. La chaleur qui en émanait couvrait les boutons de pétales et les feuilles de fleurs, lesquelles s'effeuillaient sous le vent de la saison nouvelle qu'ouvrait l'automne. Les branches brunes sous l'ocre soleil frémissaient de sentir bientôt la neige les couvrir et déjà les boutons couvaient leurs pétales pour rire. Les saisons passaient. Je couvrais ma plaie de pages blanches qui couvraient une douleur chaque fois moins étanche, je couvrais mon agonie d'un mince rayon d'amour, qui couvrait une tristesse dont le nom est toujours. J'écrivais, poétisais pour sourire, je lisais, m'évadais, je mangeais, me forçais. J'avais comme Trang cette toiture pare-balles à deux pans : littérature et histoires. Je voyageais dans l'imagination. Le temps passait. Je me soignais, je me couvrais, je voulais guérir.

Je guérissais. J'allais mieux physiquement, car je forçais mon corps à se nourrir. Mes organes avaient repris leur fonction, la grève arrivait à son terme. Le cœur battait, l'estomac digérait, les poumons soufflaient, le foie fonctionnait. Peu à peu, l'engin revenait en vie, sa température remontait, mais ma tête se cognait encore contre les murs. Sortie d'affaire en ce qui concernait la santé physique, l'hôpital décida de me libérer. Je n'étais plus en danger de mort. Je pouvais partir. Quelqu'un d'autre allait récupérer ma place.

Je revins donc dans cet appartement parisien et l'effort ne devait jamais me quitter : m'efforcer de sortir, de parler, de manger, de voir des amis, de vivre, quoi. Sinon, il y avait les livres, toujours, les aventures et sentiments des personnages. Je voyageais dans les époques, les costumes, les tragédies et les comédies.

Je lisais tout pour m'échapper : des romans, des pièces de théâtre, des poésies… C'était ma fenêtre de voyage. J'allais seule aux expositions aussi : les tableaux me parlaient, je comprenais une douleur similaire à la mienne dans l'œuvre des artistes que j'admirais. C'était une issue intérieure, une voie de sortie temporaire, une manière de vivre et d'aimer hors de la vie où je mourais, désaimée. Cela suffit pourtant à me maintenir. Je retournais au lycée comme si rien ne s'était produit. Je travaillais avec la passion d'un désespoir. Petit à petit, mon champ de vision, qui avait rétréci, s'élargit de nouveau. Les côtés flous redevinrent nets. J'aperçus des visages aux bonnes intentions, des sourires gentils, des plaisanteries jolies. J'en devins l'amie. Ces petits soleils dans ma nuit s'appelaient Palmyre, Lola, Victoire, Gabrielle, Salomé, Clémence, Shandiva, India… Autant de prénoms que je mettais en cercle autour de moi, avec leurs pleins, leurs déliés, longs, généreux, courbés, avec cinq épaules chacun, des prénoms de femmes, tous en cercle comme ça autour du mien, maigre, raide, court, cassé, Line, quatre petites lettres perdues qu'on ne prononce qu'en une syllabe. Mes amies étaient le soleil. J'étais aussi évasive et lointaine que la nuit. Cette Line, cette nuit, cette lune, prête à mourir, à n'être pas vue, cette brillance dans le noir. Je m'accrochais à leurs journées longues et chaudes, Palmyre, Clémence, Gabrielle, India, Salomé, Victoire, Lola, Shandiva.

« On va boire un café ? Ça vous dit d'aller voir le film, au cinéma, à 15 heures ? Bon, rendez-vous à Odéon ce soir. Allô ? Mon amour, comment tu vas ?

Putain, faut que je te raconte avec François… OK, tu ne vas jamais me croire… Et toi, comment ça va ? Non mais meuf, laisse tomber, il y avait une heure de queue, on ira une prochaine fois. Rejoins-nous chez Vic. Je ne vais jamais réussir, je deviens folle, je vais m'enfermer dans ma cave dix jours pour réviser… Si vous n'avez pas de nouvelles, je suis sous mes fiches… Non mais arrête, Shandou, souffle… Tu préfères la rose ou la bleue ? La bleue, Gab, elle te va mieux. OK, je suis trop contente… On part en Italie, cet été ? Ah, j'ai tellement envie d'être au soleil avec vous, juste vous, allongées, et qu'on se raconte, qu'on boive du bon vin, en maillot de bain, non mais je vous aime tellement… Allez grouille, Line, putain, elle a toujours une heure de retard, ça me fait péter un câble… Rendez-vous sur le pont de la Tournelle, on se balade ? Je dois te raconter un truc… Ça va, mon cœur ? Oui, je retrouve Palm, je t'appelle après ? Oui. Rappelle-moi. Je t'aime. » Elles étaient joyeuses, intelligentes, douces, patientes, compréhensives, rigolotes, solaires, aimantes. Avec les personnages des livres, les acteurs de cinéma, les muses des tableaux, elles vinrent me donner beaucoup de vie.

Ce qui n'existait ni au Vietnam ni à Tours et que je découvrais en solitaire souvent, à Paris, meubla mes journées de convalescence : les fauteuils rouges des cinémas indépendants, les pièces multicolores des musées époustouflants, les cigarettes noires et cafés blancs – ou le contraire –, les bouquinistes et leur millier de romans… Je m'efforçais de sentir une chaleur sur ces trottoirs qui m'avaient toujours paru froids. Et puis, au lycée, nous avions dix-sept, dix-huit ans.

C'était l'époque des amourettes. Ils ne parlaient que de ça aux pauses. Ils s'envoyaient des mots en classe. J'avais la chance de plaire à quelques garçons : je jouais à ce jeu des amourettes – qui consistait d'ailleurs plus à en parler qu'à les vivre pleinement. Or jouer, même pour de faux, c'était déjà vivre.

Quant à la seconde H., elle vaquait de nouveau à ses occupations, soulagée de voir sa fille retrouver la santé. Le jeune Français restait enfermé dans son bureau, derrière sa porte colorée, avec une charge monstrueuse de travail. Il s'y attelait dur, sans fatiguer, pour sa famille.

Et mon frère – mon jumeau dont je partageais presque l'âge et dont j'étais si éloignée pourtant, puisqu'il avait eu une mère, un hôpital à Blois, un mois d'avril 1994, tandis que je n'avais eu ni la mère, ni Blois, ni avril mais l'accident, Hanoï, décembre 1995, et la mort surtout, avec moi, partout –, mon frère atteint par cette balle en ricochet, de ma guerre civile éclatée, rejoignit, après de brillantes études scientifiques, l'armée. Il fut lieutenant à la Légion étrangère, défila sous les drapeaux des Champs-Élysées le 14 Juillet et intégra, par la suite, les forces Vigipirate lors des attentats de 2015. Il n'avait pas vingt-trois ans. Était-ce une manière d'être soldat dans ma guerre, à mes côtés ? La réponse ne m'appartient pas. Ce que j'ai, seul, c'est le constat de son courage, de sa ténacité.

Enfin, les saisons ont tourné. La guerre devait passer. C'était alors l'époque du baccalauréat. Je n'avais pas perdu la main, ni redoublé de classe. À l'hôpital même, le travail était devenu essentiel. Cela m'occupait. J'étais donc restée bonne élève et obtenais mon diplôme sans difficulté. Après cela, le paysage changeait. On parlait d'« orientation ». Les élèves avaient ce mot en bouche : le guide d'orientation. Moi, je n'eus à cet égard qu'une idée folle : retourner au Vietnam, seule. Quelle meilleure orientation pouvaient alors prendre mon corps, mon cœur et ma boussole ?

Cessez-le-feu

On ne pensait pas que ces nuages épais, immobiles, qui couvraient notre terre d'une ombre si froide et d'une bruine si triste, finiraient par se percer d'un rayon de lumière. Ça arrive. Les rayons cassent un à un le cumulus d'horreur et l'on finit par avoir un rien de soleil. Ce sont d'abord des zones passagères, haltes de chaleur dans un halo noir. Elles semblent plus pâles que l'astre de Hanoï, moins complètes, moins maternelles. Elles sont insuffisantes – mais elles existent. Il faut savoir les regarder maintenant, et s'y accrocher d'une manière si désespérée qu'elles nous sauveront. Qu'y a-t-il, derrière ? Est-ce que ça vaut le coup ? Mourir d'abord, y parvenir, et puis quoi ? Revenir ? Pour quoi ? Puisqu'il n'y a rien, puisqu'il fait froid, puisque c'est fini, le sol, la mère, la vie, puisque c'est foutu, ça ne reviendra pas… C'est fini. Le mieux qu'on peut avoir désormais, ce sont ces rayons-là, pâles. Alors, ça vaut le coup ? Il faut s'y accrocher follement, sans raison, juste pour vivre, sans savoir ce qu'il en adviendra, peut-être rien, juste pour vivre, et ce sera sans doute un combat, de revenir puis de rester, tous les jours, ce sera sans doute horrible, mais c'est déjà l'horreur. Phébus ne brille pas. Il faut l'aimer quand même. Il n'y a pas de devoir, pas d'amour à l'heure qu'il est, nous avons tout perdu. Mais nous devons rester.

Tu n'as jamais approché la condition humaine d'une telle façon : être un corps, des organes, des os, un prénom et un nom, être sur la Terre pour rien, pour personne, sans amour, sans passion, sans envie, être une carcasse vide, mais devoir rester – parce que l'on est.

Rester, parce que l'on est – phrase de tous les combats ; il n'y a qu'une guerre possible, qu'une guerre humaine, qu'une force et qu'un courage pour répondre à cette injonction. Rester, parce que l'on est. La justification est nulle, l'injonction est immense. Et pourtant, l'on joue, l'on obéit. Rester, parce que l'on est. C'est Dieu à ce moment-là, parce qu'il n'y a rien d'autre, je veux dire, c'est la Vie. C'est l'ordre des choses et, plus précisément, l'humain pris dans l'ordre des choses. Ça ne casserait rien, tu sais, de partir ; et quel courage de rester, quelle épreuve… Que choisir ?

Tu as guéri. Tu as retrouvé un corps de vivant, un cœur de vivant, un visage de vivant, des pensées de vivant. La mort est partie. La petite fille est revenue. Et tu as décidé, en ce retour, parce que tu pouvais enfin marcher et vivre, de te rendre toi-même sur les lieux de ton enfance – ceux que tu avais perdus, ce qui t'avait tué. Tu avais dix-sept ans alors, à peine, et tu as pris l'avion, seule, pour retourner à Hanoï. Tu vois, j'en ai vingt-trois aujourd'hui, et je retourne, seule, une nouvelle fois, sur les lieux de ton enfance.

Tu es revenue et je reviens encore, chaque fois derrière toi. Je reviendrai peut-être toujours te trouver, trouver celle qui naissait, celle qui mourait, celle qui se cherchait, celle qui écrivait, celle qui revenait. Je reviendrai peut-être toujours vers celle qui revenait, vers les différents coffrets d'os, vers les couches de passé qui passent toutes ici.

2013

Onze heures de vol ont déposé la fille de dix-sept ans dans cette ville, qui avait changé. C'était, comme prévu, la bonne santé : on était en 2013, les tours vitrées poussaient effectivement à Hanoï ; les moteurs des BMW vrombissaient ; nouvelles et criardes dans les rues du siècle 21, les boutiques luxueuses se propageaient ; la 4G, le téléphone portable nous envahissaient… C'était un nouveau visage de Hanoï, ce n'était pas le sien.

Le taxi a fait la route de l'aéroport à la ville, en sens inverse. Il a traversé le pont rouge, au-dessus de Hanoï. Les années avaient passé mais les buffles étaient encore là, les rizières aussi, l'asphalte toujours. À travers la vitre même, une moiteur qu'elle n'avait pas sentie depuis très longtemps tomba sur sa peau. Le taxi a glissé jusque dans la ville, s'est mêlé aux voitures, aux motos, il a longé le boulevard, tourné dans les ruelles. Il est passé rue Kim Ma, il a tourné encore. Après le décès de *Ba*, le grand-père et la troisième sœur H. avaient déménagé. Ils avaient acheté une maison neuve, dans un quartier adjacent. Le chauffeur trouva le chemin, à travers les ruelles, puis il arrêta la voiture. On ne pouvait pas aller plus loin. La petite fille lui a glissé un billet, est descendue, a pris sa valise dans le coffre et elle s'est avancée dans les sentiers poussiéreux qu'occupait un marché aux stands de *bun cha*, de *com ruoc* et de poissons frits. Quel était ce nouvel endroit ? Il fallait enjamber des bacs d'eau, éviter des mains, des pieds, des grillages et des casseroles qui dépassaient. Enfin, elle atteignait, avec la poussière soulevée par les roulettes de sa valise, une grille. C'était là. Elle sonnait. Il allait lui ouvrir.

Il ouvrit. Le grand-père se tenait devant elle, les cheveux blancs. Elle ne l'avait pas vu depuis tant d'années. Ils ne parlaient plus la même langue, ils avaient oublié leur visage. Il la serra contre lui. Cette chaleur même lui parut étrangère. Il lui indiqua de rentrer. C'était donc là qu'ils vivaient maintenant, le grand-père et la tante, dans cette maison à quatre étages, trop large pour eux, immense et calme. Il lui proposa un thé, un fruit, dans le salon éclairé aux néons. Elle accepta et ils mangèrent, unis par une émotion silencieuse. Le fruit avait le goût limpide du néon. Le temps, qui avait passé, se croquait maintenant, muet dans la chair d'un litchi froid. Ils osaient à peine lever les paupières, se voir au fond des yeux, les pupilles l'une dans l'autre, aussi noires et brillantes que les noyaux recrachés dans l'assiette. Ils regardaient le plat. C'était donc Trang, ce professeur, en face de sa petite-fille, née le 30 décembre, comme sa femme, *Ba*. C'était lui, vietnamien, face à elle, française, sept ans plus tard.

Voyant que la petite clignait des yeux, fatiguée par le voyage et le décalage horaire, il lui proposa une chambre pour s'étendre un instant. Il y en avait plein – assez pour toutes les personnes auparavant assises dans le cercle au sol, assez pour remarquer que le temps passe et que les gens partent. Le grand-père expliqua : chacun avait une chambre pour lui, au cas où il voudrait revenir. Ces chambres étaient vides ; elles attendaient les sœurs parties en Pologne, en France, elles attendaient les maris quittés, les enfants exilés… *Ba* aussi avait sa chambre. Où ? Au dernier étage, au sommet de la maison, dans une pièce vide, sans lit, sans rien que sa photographie encadrée sur un autel. C'était la chambre de *Ba.* Il fallait monter les quatre étages pour lui rendre visite toutes les semaines, lui déposer des offrandes, des fruits, des gâteaux, lui parler… Le grand-père conseilla à la petite de monter saluer *Ba,* avant de se reposer.

Elle monta. La photographie attendait là-haut, sans bouger, telle une grand-mère solennelle. Elle monta. Est-ce de la crainte qu'elle ressentait ? Ces coutumes lui étaient si étrangères maintenant, si loin lui semblaient cette langue et ce temps. Elle monta. Les marches étaient hautes, les étages nombreux. La photographie attendait. Elle s'en approcha, avec une exaltation mêlée d'un étrange détachement. Enfin, elle atteignit le quatrième étage : la pièce était vide, carrelée, éclairée seulement par une fenêtre dont le rideau blanc flottait. Contre le mur, un meuble haut – l'autel – portait des bâtons d'encens, des fruits séchés et la photographie de *Ba.* Elle ne souriait pas, regardait l'objectif d'un air dur. La petite fille reconnut ce regard et ce visage. Devait-elle parler maintenant ? Dire bonjour ? Elle n'avait pas appris à croire aux rituels, elle n'avait pas parlé le vietnamien depuis longtemps, elle ne connaissait pas cette maison nouvelle, tout était si étranger mais les mots vinrent à sa bouche : « *Chao Ba... Ba co khoe khong...* » D'une voix brisée, d'une voix chargée encore de mort et d'exil, d'une voix française pourtant, grandie, vivante, d'une voix féminine, celle d'une enfant et d'une femme. Bonjour Ba... Comment vas-tu...

Elle allait monter tous les soirs ensuite, quand le soleil se couchait, que la ville autour s'apaisait, les cris des enfants se fanaient dans le noir, elle allait monter au dernier étage, sur le toit même souvent, empruntant la petite échelle dépliable, périlleusement, elle allait monter pour être au sommet de Hanoï tue, à l'heure du loup, à l'heure de *Ba*, seule avec elle et sa photographie muette. Du toit, du cinquième étage, on voyait les ruelles tortueuses de Hanoï dissimulées sous les fils électriques, on sentait les dernières odeurs remonter, les derniers bruits en écho résonner... C'étaient les seuls moments où Hanoï lui revenait en mémoire, telle qu'elle l'avait connue, telle qu'elle l'avait quittée. *Ba* était assise en dessous, avec son visage dur, sur la photo, qui avait tant vu, tant vécu. La petite redescendait du toit, par l'échelle, quand toutes ses émotions frissonnaient. Elle refermait la trappe, saluait *Ba* une dernière fois et descendait tous les étages, jusqu'au rez-de-chaussée. C'était l'heure de dîner.

Elle ne parlait donc plus leur langue, n'avait plus l'air d'être d'ici, c'était fini, Hanoï de son enfance. Ils avaient tous grandi, vieilli, la ville elle-même, la première. Elle était étrangère, maintenant. Étrangère en France ? Oui, mais ici aussi. Un matin, sur la table du petit déjeuner en bas, elle a trouvé un gâteau emballé. Elle l'a ouvert, l'a mangé. Il était bon. Puis, elle est remontée se doucher. C'est alors qu'elle a entendu le cri effaré de la troisième sœur H. : « Qui a mangé le gâteau des morts !! » Elle a écarquillé les yeux, fait tomber le savon qu'elle tenait dans la main, et s'est dit, merde, c'était cela, trop bon pour n'être qu'une douceur du petit déjeuner, ce gâteau, j'ai bouffé l'offrande de *Ba*, quelle imbécile ! Les délibérations continuaient en bas : « Mais qui a bien pu voler le gâteau des morts ? Le manger ? Peut-être que c'est Line ? Ah, peut-être… » Ce n'était pas grave, mais elle était si étrangère maintenant. Confuse, elle sortait vite de la douche, s'habillait et descendait s'excuser. Oui, elle avait bien mangé le gâteau des morts.

La moto ondule, une parmi les autres, penche dangereusement sur le côté, accélère, double… C'est sa route, elle y roule, aucun connard ne l'empêchera de passer. C'est ainsi que les motos roulent à Hanoï. La petite fille s'accroche au conducteur, les deux mains sur ses hanches. Le vent fouette son visage et ses cheveux. Elle va voir ce qu'elle doit voir. Elle a demandé l'adresse, l'a retrouvée, elle chevauche au galop, sur cet engin, destrier d'un missionnaire pressé. Elle doit voir. Le papier sur lequel elle a noté l'adresse est plié en quatre, entre ses doigts nerveux. Enfin, au coin d'une ruelle, la moto s'arrête et la dépose. Elle remercie le conducteur et s'avance dans le sentier, entre les vendeurs de *bo bun.* C'est l'adresse de Co Phai.

Qu'est-elle devenue ? Elle s'est mariée, elle est devenue vendeuse de *bo bun* dans la ruelle où elle habite désormais. Son mari boit et elle vend des vermicelles – à cette adresse. La fillette avance avec l'impression que cette étape est la dernière de son pèlerinage. Elle ne se souvient plus du visage de Co Phai, le reconnaîtra-t-elle ? Devant le numéro indiqué sur son papier, elle s'arrête. C'est une baraque comme les autres, un peu écroulée sous les pierres qui tombent et les fils électriques au ciel, qui écrasent. Elle sonne.

La femme qui lui ouvre rit, s'exclame, la prend dans ses bras et pleure. Elle est hilare, émue avec ses cheveux noirs, son sourire aux grandes dents, ses yeux pétillants, sa tête heureuse, elle parle vietnamien. Elle serre la fillette contre elle. Puis, deux petits enfants arrivent en courant et lui enserrent les jambes. Ces enfants crient en vietnamien, eux aussi, ils tirent la femme par la manche, maman, maman, qui est-ce, c'est Line, chéris, qui ? Co Phai fait entrer la fille chez elle. Elle lui propose un *bo bun*, elle cuisine les meilleurs de la ruelle, vraiment. La fille accepte. Alors Co Phai se précipite pour chercher des plats, des baguettes, les vermicelles, la viande grillée. Elle pose tout au sol et les enfants s'assoient, la fille s'assoit, tout le monde mange. Comment vas-tu ? Ma chérie… Raconte-moi alors. Mais parler vietnamien est difficile, elles se disent des choses dans les sourires. Les enfants de Co Phai hurlent, courent, grimpent sur le dos de leur mère. Laisse-moi deux secondes, sois tranquille, je parle à Line, tu es infernal. Enfin, le déjeuner se termine, et le grand-père vient chercher sa petite-fille pour la ramener à la maison. Il sonne. Co Phai lui propose à boire aussi. Ils saluent la nourrice devenue vendeuse des meilleurs *bo bun* de la ruelle, devenue mère d'enfants infernaux mais si beaux, ils la saluent et repartent sur la moto.

Ce n'était rien. C'était un instant. La moto ondule en sens inverse, la fille serre les hanches de son grand-père, mais cette fois, elle n'est plus en mission. Elle a terminé son pèlerinage. Elle le serre, il double, fonce, et le vent, toujours, fouette ses cheveux, son visage et ses larmes. Elle est assise sur la moto et elle pleure, sans faire de bruit, pour qu'on ne remarque pas ses larmes, elle pleure parce que le passé est passé ; parce que la nourrice a des enfants qui ne sont pas ses frères et sœurs ; parce qu'elle a vieilli, parce qu'elle a vécu sa vie, tant mieux ; parce que la moto avance sous l'ombre des tours de Hanoï 2013 ; parce qu'elle ne l'a pas vue pousser ; parce qu'elle n'était pas là pour les tours, pas là pour les enfants, pas là pour la nourrice ; parce que la vie a passé sans elle ; parce qu'elle a attendu sur son banc seule quelque chose qui ne viendrait jamais ; quelque chose qui avait vécu sa vie de son côté ; parce que, seule sur son banc maintenant, personne ne viendra ; la personne qui devait venir est partie ailleurs. Sur la moto, derrière le dos du grand-père, penchée adroitement afin de ne pas apparaître dans les rétroviseurs, dissimulant ses larmes et sa peine, car il ne saurait pas la consoler, car il s'inquiéterait, car elle n'a pas les mots en vietnamien pour lui expliquer, cachée pour éviter de le peiner, elle sait : l'amour qu'elle attendait, au même endroit, s'est déplacé. C'est fini. Elle retient un sanglot dans sa gorge. La moto approche des ruelles du grand-père. Ils vont bientôt s'arrêter. Elle avale ses larmes aussi. Elle essuie les traces de sel sur son visage. Enfin, la moto se gare. Le grand-père se retourne vers sa petite-fille : on descend ? Elle affiche un visage clair, sec, et elle sourit : oui, on descend. Il n'aura rien vu.

Elle entre dans la maison. Le grand-père allume la télévision et s'installe sur le canapé. Elle monte au dernier étage, défait l'échelle et va sur le toit. Elle est seule, à cet instant. Les toits de Hanoï se déroulent sous ses yeux, sous les fils, le ciel de Hanoï s'étend. Elle avait attendu si longtemps, elle avait souffert tellement, pour retrouver cette mère, et ce n'était pas la sienne, pas vraiment, elle était seule, sur la moto, et elle pleurait, et ce flot n'était plus le sien non plus, ce flot de Hanoï, parce que Hanoï 1995, Hanoï 2005, ce n'est pas Hanoï 2013… Parce que la ville n'est plus à elle, ni cette femme, cette mère. Elle est seule sur ce toit, parce qu'il faut se faire maintenant à l'endroit où elle est, à la fille qu'elle est, par-delà cette rupture, par-delà ce manque, ce vide, la photographie de *Ba* sur le meuble, sa sépulture, il n'y a plus rien. Maintenant, rien ne l'attend. C'est fini. Il est temps de revenir à Paris.

Ce chauffeur est là, le même, croirait-on, à attendre qu'elle monte dans le taxi. Mais cette fois, c'est elle qui prononce la phrase : « Je vais à l'aéroport. » C'est elle qui choisit de voir les silhouettes disparaître, et elle sait très bien pourquoi elles disparaissent ; c'est elle qui choisit de dérouler l'asphalte jusqu'à l'aérodrome, de rouler au creux des rizières, entre les buffles, de faire tanguer le pont rouge et d'arriver au bout du chemin qui mène aux avions, ce sentier qui lui paraît être le tapis rouge de Hanoï, celui qui vous amène jusqu'à la ville et vous accompagne à la sortie, celui par qui elle commence et elle termine. Elle choisit de s'en aller. Elle choisit d'enregistrer ses bagages, de donner son passeport et son billet, de monter dans l'engin, de traverser les nuages, d'arriver dans la France froide, qui est désormais son pays, celui où elle habite, celui où elle n'est pas née mais celui où elle choisira de grandir et de rencontrer. Maintenant, elle n'est plus victime de rien. Maintenant, nous sommes en 2013, elle a dix-sept ans, et elle va construire sa propre cabane en terre battue, et tant pis pour les maris qui cognent leur femme, tant pis pour les femmes jalouses, les bombes, l'exil, les os, tant pis pour les mères mortes et les tickets de rationnement, car la vie est ainsi faite, et elle n'est plus une enfant. Elle va construire maintenant, sur son terrain, la maison où elle accueillera sa famille – celle qu'elle s'est choisie. L'avion atterrit. Nous sommes à Paris. Il n'y a plus de victime, la guerre est terminée.

En France, en 2013, la Manif pour tous se rassemble au Champ-de-Mars, on découvre la viande de cheval camouflée dans les surgelés pur bœuf, on remet en question la traçabilité agroalimentaire, le Sénat adopte la proposition de loi sur l'amnistie fiscale, Cahuzac démissionne. En 2013, en France, on flaire l'anguille sous roche, et on réclame la transparence, l'Assemblée nationale adopte la loi ouvrant le mariage aux couples homosexuels, que le Conseil constitutionnel valide, *La Vie d'Adèle* remporte le prix Louis-Delluc. Soudain, ces noms lui parlent. Elle les a entendus arriver. Soudain, cela devient sa mémoire, l'histoire dont elle se souvient, chez elle. Au Vietnam, que se passait-il en 2013 ? Elle ne sait pas. Elle y était en 1995, en 2004 ; elle l'a quitté douloureusement.

Maintenant, c'est ici que nous vivons, sur notre corps maigre que nous choisirons de muscler, dans cette vie grise que nous choisirons de colorer. Maintenant, nous choisirons de comprendre, de regarder, d'accepter, de recommencer, de façonner à notre manière ; maintenant, nous ne serons plus victime des étourdissements, nous saurons… Maintenant, nous n'avons plus dix ans. Maintenant, nous n'avons pas pu finir d'être enfant, maintenant, nous avons raté l'adolescence, maintenant, nous allons vivre à notre façon.

2018

Entre les eaux d'où l'on vient et les os qu'on laisse en partant, il y a tant de charges. Rester, parce que l'on est, c'est une chose que l'on a tous comprise ; et nous nous tenons, debout, les pieds dans l'eau, les os en haut, droits, verticaux, nous nous tenons debout pour les os qui nous précèdent, pour ceux qui nous succèdent, pour ceux qui nous entourent. Nous sommes là. Rester, parce que l'on est, c'est à peine un choix, mais nous décidons peut-être de la manière dont nous voulons rester, dont nous voulons être. À ce moment, en cet endroit, elle comprend qu'il n'y a pas d'alternative au sens de la route, il faut rouler droit, vers là-bas, mais elle voit aussi quelques chemins de traverse qu'elle peut choisir pour tracer, dans le paysage extérieur, une esquisse de ses démons et de ses rêves, une contrefaçon de son tableau intérieur.

Il en est ainsi pour tout le monde, pour la mère, le père, les tantes, le frère, les amies, chacune, les cousines, ses amours. Chacun d'entre eux est régi par ses eaux primitives, chacun d'entre eux prépare ses os définitifs. Ils réagissent ensemble, comme ils le peuvent, comme ils le veulent. Ils forment une famille d'âmes entre le début et la fin, une famille qui marche ensemble parce qu'elle sait que ça vaut le coup, que les sentiers choisis seront étonnants, beaux, douloureux, époustouflants, qu'il y aura des faux-fuyants, des raccourcis, des rallongis, des boulevards, des impasses, des raidillons et des percées, et qu'à l'issue de tout cela, surtout, ils se retrouveront toujours, à un carrefour ou un autre, toujours, pour mieux aller. Il y aura des surprises, des gens dans les buissons, des choses fabuleuses, et ça vaut le coup d'avancer, jusqu'au bout, ensemble, avec les eaux, pour les os, parce que c'est beau.

Une image simple te donne le sourire ; celle, déjà évoquée, de l'enterrement de *Ba*. Ce n'était rien qu'une petite vie, dans un petit pays, avec une petite famille. Ce n'était rien qu'une petite femme, dont le monde ne se souviendra pas. Mais il y avait, à ses petites funérailles, des voisins du village, des cousins de la guerre, des amis de Hanoï, un mari et des filles aimantes, avec leurs maris étrangers, leurs enfants métissés... Il y avait ces blogueurs aux jeans troués. C'était, autour d'elle, à la fin, Hanoï 1945, Hanoï 1960, Hanoï 1980, Hanoï 1995, Hanoï 2005... Cela suffisait. Elle avait déjà tant fait, voyez. Les blogueurs étaient au rendez-vous, la France et la Pologne aussi. Alors ça vaut le coup, oui.

La fatalité se laisse percer par une marge, dans laquelle il faut glisser son doigt pour mieux écarter l'étau qu'on croyait resserré, et le dégonfler.

L'histoire n'est pas close, comme j'ai pu le penser. La preuve, c'est que je suis revenue, cet été, celui de mes vingt-trois ans. La preuve, c'est que je reviendrai peut-être toujours, car chaque fois les choses changeront. Non, l'histoire n'est jamais terminée puisqu'elle s'altère, d'année en année. Elle change avec la forme qu'on la supplie d'épouser, qu'au terme d'efforts douloureux on parvient à lui imposer. La preuve c'est que, descendue de cet avion, après avoir posé mes bagages chez mon grand-père cet été-là, je suis partie me balader dans les ruelles pour prendre l'air et remédier au décalage horaire. Je lui ai dit que je revenais dans une heure. Je me suis baladée seule, sans regarder où j'allais, confiante en mes qualités pourtant mal reconnues d'orientation, et surtout en mon sens du pays, en mon appartenance à la ville. Je me disais, tu connais, c'est ton quartier, tu es une fille d'ici. Je me mettais à marcher, sûre de moi, regardant droit devant, sans hésitation aucune, afin que les gens autour ne me prennent pas pour une touriste. Les rues sont si étroites ici, les gens se connaissent tant, les touristes sont si peu nombreux que j'essayais de me fondre dans la masse. Je marchais l'air de dire, je sais où je vais. Une heure passe ainsi, ma promenade se déroule et s'enroule.

Perdue dans des ruelles de Hanoï, sans savoir où aller, je désespère, au bord des larmes. Mon grand-père ne répond pas à son téléphone éteint. Il fait quarante-cinq degrés et je tourne en rond dans ces ruelles étroites depuis quarante-cinq minutes, comme le diamant sur un quarante-cinq tours rayé.

Je n'en peux plus, je m'apprête à maudire le pays entier, tant je dégouline de sueur. Le soir commence à tomber. Les gens qui m'ont vue passer dans leur rue quarante-cinq fois ont compris que j'étais une touriste paumée. Je leur demande s'ils connaissent la maison Mac, celle de mon grand-père, monsieur Mac. Non, personne ne sait. Je repars. Je tourne en rond. Je sue. Que faire ? Alors, je me souviens. C'est le premier jour de mon arrivée à Hanoï mais je me souviens : j'appelle Co Phai. Elle décroche tout de suite et s'écrie, ma chérie, tu es à Hanoï, mais viens à la maison tout de suite, voici l'adresse, tu peux rester dormir, viens, je suis encore au marché, je ne rentrerai que dans une heure, mais les enfants sont dans la maison, entre, c'est ouvert.

Je hèle un taxi-moto dans la rue, lui dis de me conduire à telle adresse. Il fonce sur la grande route, tourne dans les ruelles et me dépose enfin. Je reconnais l'endroit où je suis venue il y a cinq ans. Je me repère dans tous ces tortillements de sentier. Voilà sa maison – une pièce de dix mètres carrés avec la cuisine qui gratte sur la rue. La porte est ouverte, bien sûr. Il n'y a peut-être même pas de porte. J'entre. Sur le carrelage, deux enfants sont étalés, un garçon et une fille. Ils ont huit et treize ans. Ce sont ses enfants. « *Xin chao* », je dis gauchement, avec mon accent français. Ils se retournent tous les deux et me regardent. Alors, sa fille me saute dans les bras. Line ! Line ! Elle m'enserre. Qu'elle me connaisse et m'aime, ses mains autour de ma taille, me surprend. Comment sait-elle ? On ne s'est vues qu'une fois, l'année de mes dix-sept ans, en ce bref retour embué. Line ! Line ! Elle est heureuse, sautille, puis elle s'accroupit au sol pour finir d'éplucher sa mangue et de la couper en morceaux. Elle fait la cuisine. Co Phai n'est pas encore rentrée du marché, où elle ne vend plus de *bo bun* d'ailleurs, maintenant, mais des sacs à dos. Elle change de marché chaque jour, avec deux tas de marchandises chargés sur sa petite moto. Cela fait deux masses noires, comme deux sacs-poubelle géants autour d'une mobylette. Dedans sont fourrés une centaine de sacs à dos. La petite épluche son fruit et me regarde toutes les secondes, de son air mutin. Elle me sourit et ça me réchauffe, comme un amour, comme la fille de ma mère, comme une petite fille, comme une grand-mère. C'est étrange mais je l'aime, cette petite, de la même manière qu'elle m'aime, par un lien qui a la forme d'une diagonale.

Quand Co Phai arrive, petite femme sur sa mobylette encadrée de deux sacs-poubelle énormes, elle klaxonne. Nous nous retournons tous les trois et crions : « *Chao co ! Chao me !* » Bonjour maman, bonjour Co Phai. Elle rit. Elle entre nous rejoindre, embrasse ses enfants et me prend dans ses bras. Cette fois, je pleure à chaudes larmes, devant eux, et non plus cachée derrière un casque de moto. Non, devant eux je pleure et même devant les enfants, parce que je suis émue, c'est la vie, on ne va rien lui cacher non plus, à la vie, elle en a vu d'autres, elle sait ce qu'elle fait, ce qui se trame, alors les apparences de plâtre ne servent qu'aux masques. Moi, je suis en larmes, à poil, et Co Phai me dit : « Ce n'est pas grave. C'est normal. Pleure. » Elle sait. Elle me serre contre elle. Elle me parle comme à son enfant. Elle me dit tu te rappelles, tu avais un an, j'en avais vingt-trois… maintenant c'est toi… tu as vingt-trois ans… tu te souviens, quand tu es partie, il y a treize ans… eh bien, ma fille, tu vois, Chat, elle a treize ans… Nous nous regardons toutes les trois. Puis Co Phai détourne les yeux, pudique. Il y a la Coupe du Monde de football à la télévision, elle se laisse river dessus. Je pleure, le nez rouge. Son fils joue avec une balle en plastique et hurle qu'il était pour la France, contre l'Argentine, bravo, bravo, et lui le football c'est son truc. Ma nourrice se lève et va chercher une boîte de gâteaux, des Choco-Pie. Elle m'en tend un : mange. Je la regarde : c'étaient mes préférés… Elle me dit je sais je sais comme pour dire tu crois quoi tu crois quoi. Elle en achète toujours depuis. Tu crois quoi ?

Le dîner terminé, je décline son invitation à dormir, puisque mon grand-père doit penser qu'il m'est arrivé quelques méfaits, depuis ma disparition dans le labyrinthe des ruelles il y a plus de quatre heures, et Co Phai me ramène chez lui. Sur sa moto qui ondule, je la serre, je serre sa taille ; elle se retourne, du bout du casque, pour me dire aussi : serre-moi, serre-moi fort. Nous allons, la paume de mes mains contre la peau de ses hanches. Elle sait. Tout ce que je ressens en ce moment, elle sent. Je pleure sans me cacher. Je t'ai aimée, toi, tu m'as manqué, toi, nous avons été brisées, nous, et moi j'étais une enfant.

Maintenant, plus ; maintenant je suis une femme, j'ai compris, mais je reviendrai toujours. Il n'y a pas de réponse définitive ; il y a cet endroit comme un passage obligé : un nœud. Je reviendrai peut-être avec ma fille, qui sait, et elle reviendra peut-être elle-même, quand elle aura vingt-trois ans, qui sait. Et puis elle aura treize ans, comme la tienne, et puis j'aurai quarante-cinq ans, comme toi, et la vie continuera, la roue tournera et nous roulerons. Tu vois, il y a dans un nid des fractures d'enfance et des réponses. Ce nid vit. C'est une ville.

L'avion va décoller. L'aéroport fourmille de gens à valises. Je les vois dans le bâtiment, de mon siège, en regardant par le hublot de gauche. Ils s'empressent dans les couloirs vitrés. Devant, la piste s'étend : les avions atterrissent et décollent telles des baleines à coque blanche, les unes tombent vers le bas, brutales, les autres volent vers le haut, sveltes. Ils s'en donnent à cœur joie pour cette danse aérienne, ici comme au fond des océans, mouvement d'envol, engin bestial, nage d'ailerons, moutons en nuages… Ils vrombissent. Nous allons vrombir nous-mêmes, sous peu – c'est ce que dit l'hôtesse dans le micro. Je reviens en France vers mon pays, la langue que je parle, ma grisaille familière.

Pardon, excusez-moi, je chope ma valise, les taxis à l'aéroport, Parisiens ronchons, et le périphérique, et Paris qui se dresse, ses églises, sa tour Eiffel, les immeubles dans lesquels vivent mes amis, mon amour, ma famille, les petites rues rangées, les petits trottoirs propres, les feux rouges, et les cafés aussi, où l'on boit un crème, alors, cela a été triste, oui, je suis une étrangère au Vietnam, une étrangère en

France, une étrangère en… mais Paris, je te connais, et tu me connais bien aussi maintenant, nous nous sommes un peu fait mal, mais tu m'aimes, non ? moi, je t'aime. C'est ici aussi, la vie.

Armistice

Voilà : chaque matin mauve de ces années violettes, mon réveil a sonné comme un clairon militaire, annonçant le combat. Je n'avais pas mis un pied hors du lit que les ennemis étaient déjà regroupés, en horde, en bas. Il fallait ouvrir les paupières à la force de ses bras, rassembler son courage et sauter dans le tas. C'était la guerre, je savais qu'on allait saigner, tomber, se faire mal, se bleuter. La rue était notre champ de bataille, le métro notre tranchée, l'arrêt de bus notre bunker et ça cognait à l'intérieur. Chaque matin, je savais que ce serait difficile. Il n'y avait aucun laisser-aller, jamais. Il fallait serrer les dents pour vivre, vouloir vivre, je n'avais ni le temps de bâiller ni le temps de pleurer, c'était un coup à se prendre une balle, frôlée.

Puis, sans savoir comment, les matins se sont éclaircis, ils sont passés du mauve au parme à l'incarnadin. Il y a eu un peu de place pour le vent, le rayon, le clin d'œil, la main, le sourire. Ce n'était qu'un interstice, qu'une seconde, mais il y avait cela, oui, durant la guerre, entre deux bombes de colère. Les matins sont devenus bisques, miels, blés, blonds… Le clairon s'est adouci. Les rues sont devenues aimables, les métros sages, les arrêts de bus tranquilles, on s'attendrissait à l'intérieur. Le sang séchait, les chutes cessaient, les bleus partaient. C'est devenu facile. J'ai mis du temps à comprendre que l'armistice avait été signé, qu'un jour le clairon avait sonné haut et fort, non pour signifier un combat mais un cessez-le-feu. Ils avaient cessé le feu. Je n'avais pas remarqué tout de suite. J'avais gardé un peu de guerre en moi. Mais le soleil s'était mis à chauffer, oui, et la vie revenait avec l'amour. Nous allions devenir des femmes peut-être, nous allions grandir, nous allions vivre, nous allions être aimées peut-être, et aimer, nous allions devenir belles quand tout cela serait terminé, nous allions être des mères, des grands-mères, des vétéranes quoi qu'il en soit ; nous avions remonté le fleuve maudit, nous allions vivre. Les matins devenaient bisques, miels, blés, blonds. La troisième guerre avait passé. L'embargo allait être levé. Les matins devenaient bisques, miels, blés, blonds. La vie allait pouvoir recommencer.

DE LA MÊME AUTEURE
AUX ÉDITIONS STOCK :

L'Éveil, 2016. Prix de la Vocation.

Toni, 2018.